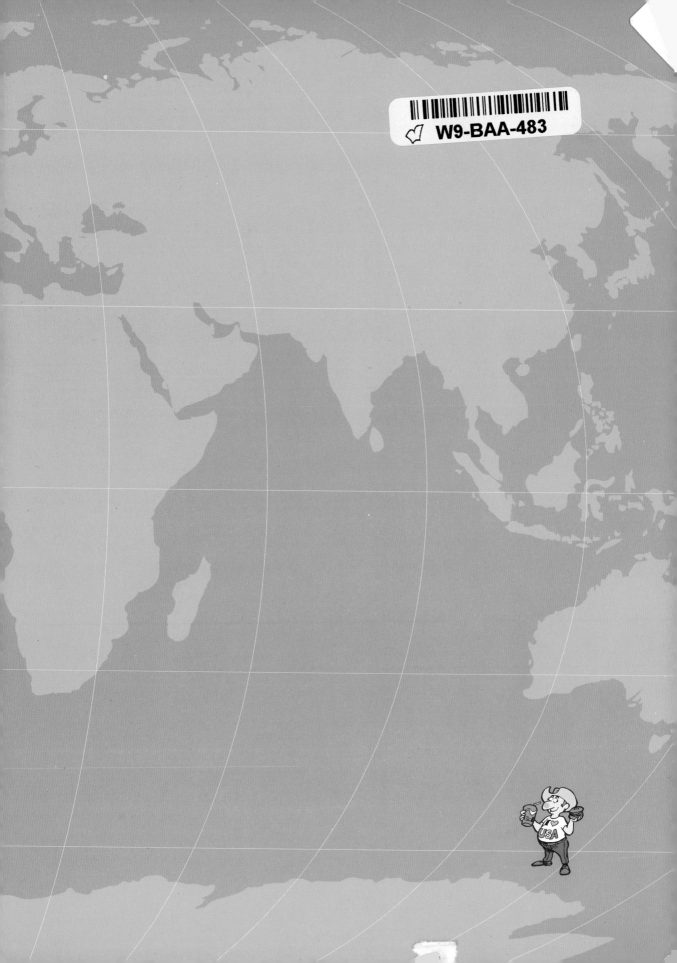

미
국
1

이원복

1946년 충남 대전 출생. 서울대학교 공과대학 건축학과를 졸업하였다. 1975년 독일 뮌스터 대학의 디자인학부에 유학, 졸업시 디플롬 디자이너(Dipl. Designer) 학위 취득과 함께 총장상을 수상하였으며, 같은 대학 철학부에서 서양미술사를 전공하였다. 당시 10년간에 걸친 독일과 유럽 체험은 『21세기 먼나라 이웃나라』를 쓰는 데 중요한 밑바탕이 되었다. 독일 뮌스터 시와 코스펠트 시 초청으로 개인전을 열었고, 현재는 덕성여대 산업미술학과 교수로 재직하고 있다. 『나란나란 세계사 도란도란 한국사』 『부자국민 일등경제』 『만화로 떠나는 21세기 미래여행』 『신의 나라 인간 나라』 등 다수의 만화를 창작, 세계 역사와 문화, 경제와 철학을 재미있는 만화로 소개하는 일에 몰두해 왔다. 1993년에는 우리나라 만화 문화 정착에 기여한 공로로 제9회 눈솔상을 수상했다. 한국 만화·애니메이션 학회 회장(1998~2000)이며, 미국 캘리포니아 얼바인 대학 객원 교수로도 재직했다.

홈페이지 : www.won-bok.com

펜터치·컬러링 그림떼(Grimmté Illustrator group)

덕성여자대학교 디자인학부에서 시각디자인을 전공한 일러스트레이터 그룹이다.
이원복 교수의 제자들로 구성되었으며, 일러스트와 카툰 일러스트를 주로 그리고,
그래픽 디자인 비즈니스의 새로운 장을 열어가고 있다.
대표 김승민(덕성여대 강사), 일러스트레이터 이지은, 천현정, 이아영, 김준미, 강인숙
이메일 : grimm4u@hanmail.net

21세기 먼나라 이웃나라 제10권 미국 1
이원복 글·그림

1판 1쇄 인쇄 2004. 7. 20. | 1판 12쇄 발행 2004. 8. 11. | 발행처 김영사 | 발행인 박은주 | 등록번호 제406-2003-036호 | 등록일자 1979. 5. 17. | 경기도 파주시 교하읍 문발리 출판단지 514-2 우편번호 413-834 | 마케팅부 031)955-3100, 편집부 031)955-3250, 팩시밀리 031)955-3111 | 저작권자 ⓒ 2004, 이원복 | 이 책의 저작권은 저자에게 있습니다. 서면에 의한 저자와 출판사의 허락없이 내용의 일부를 인용하거나 발췌하는 것을 금합니다. | COPYRIGHT © 2004 by Rhie, Won-Bok All rights reserved including the rights of reproduction in whole or in part in any form. Printed in KOREA | 값은 표지에 있습니다. | ISBN 89-349-1505-6 77940 | 좋은 독자가 좋은 책을 만듭니다. | 김영사는 독자 여러분의 의견에 항상 귀 기울이고 있습니다. | 독자의견 전화 02)741-1990 | 홈페이지 www.gimmyoung.com, 이메일 bestbook@gimmyoung.com

21세기

먼나라 이웃나라

이원복 글·그림

United States of America

미국 1

미국인 편

김영사

_ 차례

우리는 미국에 대해 참으로 복잡한 감정을 가지고 있다. 그 특징은 찬미(讚美) 아니면 반미(反美)라는 것으로, 미국을 비교적 객관적으로 바라보기 어렵다는 사실인데 거꾸로 얘기해서 그만큼 관심이 많다는 증거이기도 할 것이다.

그러나 문제는 그 어느 쪽도 미국에 대해 정확한 지식을 갖고 있는 경우가 아니라는 사실이다. 한 쪽은 민족주의를 바탕으로 한 외세배격 차원에서, 다른 한 쪽은 유럽과 아시아를 충분히 겪지 못한 채 우리가 후진국일 때 세계 최강 미국을 주관적으로 경험했기 때문일 것이다. 이런 의미에서 미국을 객관적으로 바라보는 노력이 그 어느 때보다 중요한 것이 오늘날 우리의 현실이다.

"미국 편"을 만들고 싶다는 생각은 이미 이 시리즈를 시작했을 때부터였으니 거의 20년이 된다. 그러나, 미국에 대해 아는 바도 적고 또 미국을 잘 아는 분들이 워낙 많아 자칫 했다가는 커다란 꾸중을 들을까 오랫동안 용기를 내지 못하였다. 하지만 이제는 그 때가 되었다고 생각하여 2년여의 작업 끝에 이 책을 낸다. 미국에서 살아본 것은 객원교수로 1년 반 정도밖에 되지 않지만, 유럽생활 10년 동안 하루도 빠짐없이 신문에 보도되는 주요기사는 미국에 관련된 것이었으니 원했든 원하지 않았든 미국에 대해서는 많이 듣고 보고 고심해 왔다고 자부하며, 이를 바탕으로 이 책을 꾸몄다.

"미국 편"은 모두 3권으로 구성되었다.

1권 미국·미국인편, 2권 미국의 역사 편, 3권 미국의 대통령 편이 그것이다. 3권이 추가된 것은 미국의 비중이 다른 나라보다 커서이기보다는 전세계 최고 권력자라 할 수 있는 미국 대통령들의 면모와 스타일, 제도를 알지 못하고는 미국을 제대로 알기 어렵기 때문이다.

부디 이 책이 많은 이들에게 미국에 대한 헛된 환상은 물론이고, 이유 없는 혐오나 반미감정에서 벗어나, 그들을 정확하게 바라볼 수 있는 눈을 여는 데 조그만 도움이 된다면 그 보다 더 큰 기쁨은 없을 것이다. 이 책이 나오기까지 아낌없는 지원을 해주신 김영사 박은주 사장님과 직원 여러분, 그리고 힘을 합해 열심히 도와준 나의 제자 '그림떼' 멤버들에게 감사와 사랑을 보낸다.

2004년 7월 이원복

『먼나라 이웃나라』가 책으로 묶여 처음 독자들에게 선을 보인 것이 1987년, 『새 먼나라 이웃나라』로 대폭 수정, 보완되어 출간된 것이 1998년이었다. 그 동안 세상은 참으로 많이 변하였고, 무엇보다 세기가 바뀌었다. 우리는 이 제 20세기를 마감하고 21세기로 접어든 것이다. 『먼나라 이웃나라』는 매 5 년 단위로 내용을 크게 바꾸거나 고치는 작업으로 시대에 뒤떨어지지 아니 하고 살아숨쉬는 내용을 독자들에게 제공하고자 노력하고 있다. 세상의 변 화가 하루가 다르게 빨라져 가기 때문에 더 자주 이 작업을 해야 할 것으로 예상된다.

『21세기 먼나라 이웃나라』는 두 가지 면에서 크게 바뀌었다.
첫째로 지금까지 2도 인쇄에서 올컬러로 바뀌었고, 역사적 자료들이 훨씬 생생한 도판 으로 보충되었다는 점이다. 영상 컬러 시대에 익숙해진 새로운 세대들에게 지금까지 의 2도 인쇄보다 화려하지만 은은한 올컬러는 훨씬 생동감 있고 흥미롭게 느껴질 것이 며, 읽고 보는 즐거움을 크게 더하리라고 믿는다. 또한 내용과 관련된 도판들이 생생 한 자료로 제공되기 때문에 역사와 문화의 현장, 그리고 인류의 역사를 움직인 인물들 의 실제 모습을 더욱 실감있게 체험할 수 있는 기회가 되리라고 자신한다.

거의 3,000쪽에 가까운 방대한 컴퓨터 컬러링 작업에는 나의 사랑하는 제자들로 구성 된 일러스트레이터 그룹 "그림떼"가 헌신적으로 참여하였다. 그들에게 진심으로 감사 의 마음과 사랑을 전한다. 또 김영사의 사장님과 전직원의 뜨거운 후원과 협력이 없었 더라면 『21세기 먼나라 이웃나라』는 탄생할 수 없었을 것이다. 이분들 모두에게 고개 숙여 감사드린다.

아마도 만화로서 출간된 지 16년이 넘는 작품이 이처럼 꾸준한 사랑을 받아온 경우는 그리 흔하지 않으리라고 생각한다. 그런 만큼 긍지와 더불어 무거운 책임을 절감하며, 더욱 알차고 좋은 내용으로 독자들의 성원에 보답할 것을 약속한다.

2003년 12월
이원복

인류 최대의 실험

미국은 어떤 나라인가?

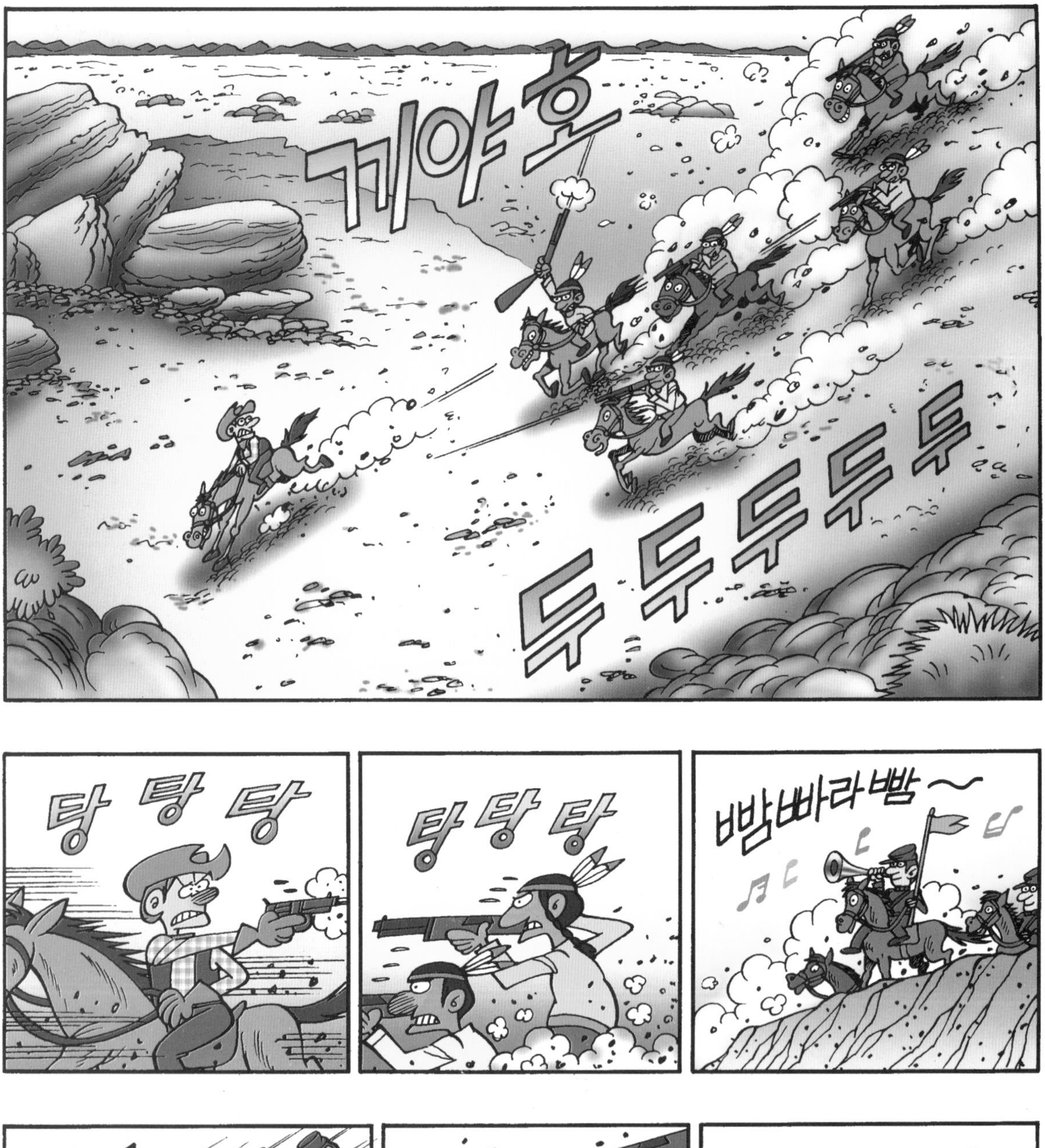
끼야호
두두두두두두
탕 탕 탕
탕 탕 탕
빠밤빠라 빰~
와
두두두두
타타타 타
타타타탕

중국대륙의 동쪽 끝에 자리잡고, 태평양 쪽으로는 일본의 안쪽에 자리잡아

조선
중국
일본
태평양

조용한 은자(隱者)의 나라였던 우리나라는

중국
일본

중국과 일본에 비해 비교적 늦게 서양에 알려졌는데

대부분이 이런 코스…

고려(高麗)시대에 중국을 거쳐 온 아라비아 상인들에 의해 처음 알려졌고

'고려' 라는 우리 발음이 차츰 변해서 '코리아' 가 된 것으로

고려
코려?
코리어?

신라, 조선, 당, 송 등 여러 나라 이름이 있지만 처음 소개된 당시의 나라 이름이 곧 그 나라 이름이 된 셈이지.

백제   고구려   주   송
신라   고려   명   진
조선   당   청
일본   원

자, 얘기를 되돌려서 그렇다면 아메리카는 왜 '미국' 이 되었을까?

미국

그 얘기에 앞서, 우리나라에 미국사람이 언제 처음 왔는지 아는 사람? 아마 맞히기 어려울걸!

기록에 보면 조선시대 철종 6년인 1855년으로 되어 있어.

철종 6년에 정체를 알 수 없는 신기한 모습의 인간이 나타나다.
……

이때는 미국 서부에서 금광이 발견되어 (1849년)

금이다!!

캘리포니아

금을 찾아 사람들이 대거 태평양 연안 쪽으로 몰려들었고

와
GO WEST!

그 중에는 금을 찾는 사람들 말고도 고래잡이 선원들도 많이 있었지.

처음 만난 미국인은 미국인인 줄도 몰라서 아무런 인상도 남기지 않았지만

세상에 신기한 종자도 다 있다…

우리가 미국인인 줄 알고 만난 첫 미국인에 대한 기억이 결코 좋은 것은 못 되었던 것은

우리가 처음 만난 미국이 바로 '침략자 미국'이었기 때문이었어.

1866년 미국 상선 제너럴 셔먼호*가 대동강 하구로 들어와

멋대로 남의 나라 땅을 측량하며 휘젓고 다녔는데

저것들이 뭔데 남의 땅에서…

날려버려!

조선군이 무단침입한 이 배를 공격하여 불살라버렸지.

* General Sherman(1820~1891) : 미국군인

요즘의 미국이라면 대번에 항공모함을 끌고 와서

무릎을 꿇고 사죄하라고 으름장을 놓겠지만

당장 사과하고 손해배상하지 않으면 공격하겠다!

비행기가 없던 때라 미국은 5년이 지나서야 셔먼호에 대한 보복에 나섰어.

* 18대 U. 그랜트 대통령 때

1871년 5월, 미 해군의 존 로저스* 제독은 다섯 척의 군함을 이끌고

한강 어귀 강화도를 공격, 조선군과 충돌하여

콰~ 콰~

전투 끝에 조선군 진지를 점령했지.

草芝鎭

* John (1812~1882)

17

한국과 미국의 숙명적인 만남은 다시 1945년 제2차 세계대전이 끝남과 함께 이루어져

분단된 한반도 남쪽에 미군이 진주함으로써

이번 역시 미국을 '군사적'으로 다시 만나게 되었던 거야.

신미양요 이래 74년 만이군….

헬로!

그 이후로 터진 한국전쟁을 통해

미국과 한국은 군사동맹 관계를 맺은 혈맹관계이자

이제는 경제적으로도 떼려야 뗄 수 없는 긴밀한 관계를 맺은 사이가 되었어.

MADE IN KOREA

역사적으로나 현실적으로나 미국을 바라보는 우리의 시각은 극명하게 갈라져 있고

I ♥ US!

미국과 적대관계를 반세기 이상 유지하고 있는 북한이 아니더라도

미제국주의 타도하자!

원쑤!

동맹관계인 미국에 대한 견해는 남한에서도 크게 다르며

미국은 싫다!

미국과 친해야 산다!

서로 갈라진 이 두 세력은 지금도 대립·갈등하고 있지만

자주국방! 동맹강화!

우리들의 가장 큰 문제는

수구꼴통! 친북좌익!

친미파든 반미파든 정작 미국을 정확하게 알고 있는 사람이 생각보다 적다는 점이야!

제대로 알고 친미든 반미든 하라!

USA

미국이 큰 나라라는 것을 모르는 사람은 없겠지? 적어도 땅덩어리가 크다는 사실을 말이야.

미국은 50개의 주로 이루어진 나라라는 것도 다 알지?

그 50개 주 가운데 가장 큰 주가 바로 알래스카주.

북극성

북두칠성

그 알래스카는 미국대륙 본토에서 가장 큰 주인 텍사스주의 2배가 넘고

TEXAS ×2 = ALASKA

한 개 주에 지나지 않는 텍사스의 땅은 서유럽의 가장 큰 나라인 프랑스 영토 전체보다 크다고.

텍사스
691,200km²

프랑스
544,000km²

프랑스의 넓이가 우리 한반도의 2배 반, 대한민국의 5.5배인데도 말이야!

한반도

220,000km²

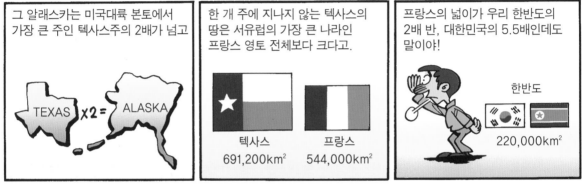

한반도의 8배나 되는 알래스카의 인구가 몇 명인 줄 알아? 겨우 60만 명…

60만 명

7천만 명

서울특별시의 한 개 구 인구에 지나지 않는데도 엄청난 땅덩이를 차지하고 있는 거라고.

무한한 개발 가능성이 있는 땅!

미국에서 인구가 제일 많은 주가 바로 캘리포니아주야. 그래도 남한의 인구보다 적은 3,400만 명이 사는데

3,400만 명

1억 3,000만 명

411,500km²
캘리포니아

378,000km²
일본

캘리포니아주만의 경제 규모가 세계 6위권에 들어가는 '경제대국' 이고

미국 전체

USA

일본

도이칠란트 프랑스 캘리포니아

CA

캘리포니아주 안에 굴러다니는 자동차 수가 아프리카 대륙 전체 자동차 수보다 많으며

뉴욕시 맨해튼 안의 전화 수만도 아프리카 대륙 전체 전화 회선보다 많다!

아프리카 대륙

맨해튼

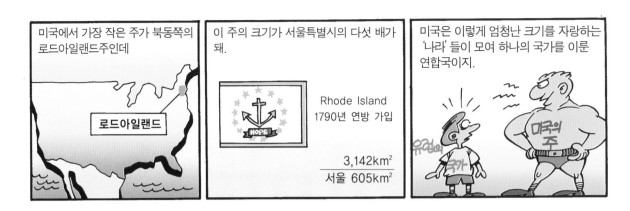

미국에서 가장 작은 주가 북동쪽의 로드아일랜드주인데

로드아일랜드

이 주의 크기가 서울특별시의 다섯 배가 돼.

Rhode Island
1790년 연방 가입

3,142km²
———————
서울 605km²

미국은 이렇게 엄청난 크기를 자랑하는 '나라'들이 모여 하나의 국가를 이룬 연합국이지.

뉴욕에서 알래스카까지 시간차가 4시간이나 되는 방대한 영토를 지닌 나라 미국.

0시　1시　2시　3시
태평양시간　산악시간　중부시간　동부시간

* 알래스카 시간(11시)

미국에 대한 가장 중요한, 그리고 첫 번째 오해는

미국

바로 미국을 '하나의 나라'로 인식하는 거야.

물론 미국은 하나의 나라이지. 한 개의 연방정부를 가진 하나로 뭉쳐진 나라임에는 분명하지만

UNITED
STATES
OF AMERICA

미국은 50개의 나라가 모여 이루어진 연합국가이자 대륙인 거라고!

State
영어

létat
프랑스어

Staat
도이치어

모두 '주'보다 국가의 성격이 강함

주권을 가진 국가

마치 25개의 국가들이 연합하여 이루어진 유럽연합(EU)과 같이.

알래스카　프랑스
앨라배마　영국
텍사스　도이칠란트
미주리　에스파냐
뉴저지　포르투갈

USA
미
합중국

EU
유럽
연합

그래서 한국과 미국, 프랑스와 미국, 도이칠란트와 미국…

이런 식으로 1대 1로 비교하는 것 자체가 무리이고

미국과 우리는…

그런 식의 비교는 곧 '너무나도 거대한 아메리카라는 벽'에 부딪힐 수밖에 없는 거야.

US

미국에는 전세계에서 모여든 정말 다양한 인종, 민족이 섞여 살아서

인종의 용광로(melting pot)라고도 하고

USA

인종끼리 잘 섞이지 않는다고 '인종의 샐러드'라고도 해.

아무리 섞여 있어도

절대 융합되지 않는다!

USA

하지만 원래의 미국이란

Original American

아메리칸 인디언인 원주민을 제외하고는

나머지 모두가 다른 곳에서 옮겨온 사람들이거나 그 후예들이야.

USA

그렇다면 '아메리카 민족'이 있을 수 있을까?

?   ?

미국인

만약 미국에 사는 다양한 민족이 그네들 선조로부터 물려받은 문화, 전통을

미국에 살아도 너는 한국인이니….

고스란히 잃지 않고 지키면서 살고 있다면…

자, 지금부터 백설공주 이야기를 해보겠어요.

옛날옛날 까만 피부를 가진 백설공주가

타타미를 깐 방이 있는

초가집에서 메주를 쑤며

성경책을 벗삼아서

알라신을 섬기면서

요가로 몸매를 가꾸었대요.

요렇게 되겠지?

24

그러나 오늘의 미국인에게 백설공주 얘기를 시키면…

옛날옛날 하얀 피부를 지닌 백설공주는

양탄자를 깐 바다의

돌로 지은 궁전에서 치즈를 먹으며

성경책을 벗삼아

예수님께 기도 드리면서

다이어트 체조로 몸매를 가꾸었대요.

그래, 미국에는 아메리카 민족은 존재하지 않지만

정신적으로 동질화된

'미국인' 이라는 정신적, 문화적 공동체 의식을 지닌, 스스로 원해 이루어진 민족이 분명히 존재하지!

WE LOVE AMERICA!

이 둘은 서로 피부색도, 조상도, 문화의 뿌리도 다르지만

그들 선조와 그들 자신이 선택한 조국을 사랑하며

조국을 자랑스럽게 여기고 어느 누구에게도 지지 않을 자부심을 지닌

AMERICA, THE BEST!

미국

그들 자신이 자발적으로 품은 애국심에 가득한 미국인들이며

이러한 긍지와 애국심이 그들의 원동력이 되어

나라가 생긴 지 230년 만에 세계 유일의 초대강국을 만들어낸 거야.

Oh, beautiful America…

USA

자연 다른 나라 시민들의 자유와 권리는 오랜 투쟁으로 지배자로부터 빼앗은 데 비해

시민이 쟁취한 전리품이다!

자유 권리

미국의 경우는 반대여서, 무한한 자유와 권리를 지닌 드센 주민, 국민들로부터

개인

나라의 질서를 잡고 안정된 사회를 만들기 위해 국가가 되찾아가는 과정이 미국의 역사였다.

프랑스의 문학가, 역사가

앙드레 모루아

둘째, 미국이라는 국가의 성격은 다른 나라들과 전혀 다르다.

미국

오늘날 세계 여러 국가들의 특징은 민족을 단위로 한 국가들이라는 거야.

한국은 한민족으로 이루어진 나라다!

러시아는 200여 민족, 중국은 56개 민족으로 이루어진 다민족 국가지만

워낙 땅덩이가 크다 보니….

러시아의 인구는 86.6%가 러시아인으로 절대다수를 차지하며

러시아인 86.6%

소수민족

중국은 13억 인구 중 92%가 한족(漢族)이고 나머지가 55개 소수민족이니

한족 92%

소수민족

러시아, 중국도 다민족 국가이긴 하지만 엄밀한 의미에선 민족국가라고 볼 수 있어.

다! 쓰!(是)
(그렇다) (그렇다)

끄덕 끄덕

이처럼 민족을 단위로 하고, 영토와 역사를 공유하는 국민들로 이루어진 나라들과는 달리

국가

민족 역사 영토

미국에 처음 이주해 온 사람들은 영국인이었지만, 점차 여러 다양한 인종과 민족이 뒤섞여 이루어진 나라,

다양한 민족

미국

역사 영토

그러니까 미국은 최초의 다민족 국가라는 거지.

2000년 인구조사

흑인 12.3%
아시아인 3.6%
기타 9%

백인 75.1%

다양한 민족구성

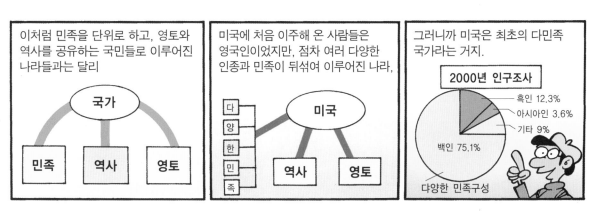

27

셋째, 미국은 유일하게 영국의 식민지 중에서 독립을 싸워 얻어낸 나라이다.

'대영제국에 해질 날이 없다'며 전세계를 호령하던 영국은

최초의 식민지인 미국의 버지니아 지방에 발을 디딘 1607년 이후

제임스타운

캐나다, 인도, 오스트레일리아, 뉴질랜드, 동아프리카의 여러 나라 등 엄청난 크기의 식민지를 경영하였는데

옆 칸을 보셔. 우리가 어느 정도였는지….

식민지 중에는 독립을 위해 격렬한 항쟁을 한 나라도 있지만

제발 놔줘~!

영국의 식민지와 독립된 해

나라	독립	나라	독립	나라	독립
미국	1783	예멘	1963	세인트키츠네비스	1983
이집트	1922	캐나다	1931	세인트루시아	1979
앤티카바부다	1981	카타르	1971	세인트빈센트	1979
오스트레일리아	1901	케냐	1963	솔로몬군도	1978
바하마	1973	키리바시	1979	잠비아	1964
바레인	1971	쿠웨이트	1961	세이셸	1976
방글라데시	1947	레소토	1966	시에라리온	1961
바르바도스	1966	말라위	1964	짐바브웨	1980
벨리제	1981	말레이시아	1963	싱가포르	1965
브루나이	1984	몰디브	1965	스리랑카	1948
도미니카	1978	말타	1964	남아프리카	1931
피지	1970	모리셔스	1968	수단	1956
감비아	1965	미얀마(버마)	1948	스와질란드	1968
가나	1957	나우루	1968	통가	1970
그레나다	1974	뉴질랜드	1931	트리니다드토바고	1962
기아나	1966	나이지리아	1960	투발루	1978
홍콩	1997	오만	1951	우간다	1962
인도	1947	파키스탄	1947	바누아투	1980
아일랜드	1922	파푸아뉴기니	1975	아랍에미리트	1971
자메이카	1962	르완다	1962	사이프러스	1960

대부분 시대 상황과 국제사정 변화에 따라 영국이 독립시킨 게 대부분인데

지금이 어느 시대인데

아직도 식민지 타령이니? 서명해!

독립 인정서

미국은 처음이자 마지막으로 식민지배자와 전쟁을 일으켜

그 전쟁을 승리로 이끌어 18세기, 독립을 성취한 나라이지.

독립

넷째, 미국은 대통령 제도를 실시한 세계 첫 국가이다.

* 미국 대통령 문장

미국이 독립을 쟁취한 18세기 후반만 하더라도

계몽주의 사상이 전유럽에 널리 퍼져 있어서

Enlightenment

인권과 자유, 평등이라는 새로운 개념이 지식인들을 사로잡고는 있었지만

모든 인간은 자유롭고 평등하게 태어났다!

귀족, 왕족, 평민과 같은 계급의 차이는 당연한 것이었고

귀족과 평민의 신분이 어찌 같을 수 있나?

국가의 수장은 왕이라는 사실을 그 누구도 부정하지 않던 때였어.

그러나 귀족, 왕족이라고는 본국인 영국에서 파견한 몇몇 최고위 관리뿐

국왕폐하의 명을 받잡아…

절대다수가 평민들인 미국에서는

우리 집안은 원래 귀족…

고작 귀족들 하인 노릇했겠지.

영국을 몰아내고 새로운 국가를 건설하면서 지도자도 뽑아야 했지.

?

일부는 독립전쟁의 영웅이었던 조지 워싱턴을 왕으로 추대하자고도 했지만

그래도 가장 높은 사람을 왕으로…

그건 아니 되네.

계급이 없는 미국에 왕이란 있을 수 없다는 이유에서

사실과 많이 다른데…?

계급 차별

국가를 대표하고 나랏일을 이끄는 최고의 책임자로 대통령제를 처음 시작한 나라가 미국이야.

PRESIDE

왕이 없는 국가, 즉 공화국은 역사에 흔히 있었어.

고대 그리스도 왕이 없는 나라였지만

귀족 중에서 지도자를 뽑았고, 돌아가면서 지도자 자리에 올랐지. 참주정치라고 해.

이번에는 원비누스 차례

다음에는 베용주니우스 차례요.

로마도 왕이 없는 공화국이었으나 역시 귀족계급이 지배를 하였으며

역사에는 여러 종류의 공화국이 자주 나타나지만 미국이 등장하기 전엔 언제나 귀족계급이 지배자였어.

귀족

평민

미국은 귀족계급이 아닌 평민들이 그들 가운데에서 뽑은 인물에게 대통령직을 맡겨

투표함

4년이라는 제한된 임기를 정해 나라 일을 하도록 권력을 맡겼던 거야.

이는 왕의 자리를 자식에게 물려주는 권력의 세습이 아니라

국민이 지도자를 선출하는 대통령 제도로

공화당후보

민주당후보

국가의 주권이 곧 국민에게 있음을 의미하는 것이지. 이를 주권재민(主權在民)이라 하는데

국민

권력

'주권재민' 이 민주주의의 가장 으뜸가는 기초이기 때문에

민주주의

주권재민

미국이야말로 가장 처음으로 건설된 민주국가인 셈이지!

국민이 국가의 주인인 나라!

USA

다섯째, 미국은 이동국경,* 즉 움직이는 국경을 가졌던 나라였다.

국경

* Moving Frontier

미국이 탄생했을 당시는 애팔래치아 산맥 동쪽의 뉴잉글랜드 지방과 버지니아 지방의

뉴잉글랜드
버지니아

13개 주가 연합한 조그마한 나라에 지나지 않았지만

메릴랜드　코네티컷
매사추세츠　델라웨어
뉴햄프셔　조지아
뉴저지　노스캐롤라이나
펜실베이니아　로드아일랜드
뉴욕　사우스캐롤라이나
버지니아

애팔래치아 산맥을 넘어 오하이오 평원으로 진출해

앞스로
앞스로

미시시피강까지 영토를 넓혀가고

땅은 끝없이 넓다!

나폴레옹에게서 루이지애나를 사들여 대번에 국토가 두 배로 넓어졌으며

오하이오 평원
애팔래치아 산맥
미시시피강
오하이오강
루이지애나

서부로 서부로 계속 진출하여 드디어는 태평양까지 영토를 넓혔어.

미국 국경선의 이동

남으로는 에스파냐 영토였던 텍사스, 플로리다 지방을 차지

플로리다

북으로는 알래스카를 러시아로부터 사들이는 등

영국 식민지 캐나다가 크지 못하게 누르고

알래스카　캐나다

북아메리카에서 러시아 세력을 제거하자!

미국의 국경은 끊임없이 넓어져가고 움직였기 때문에

이를 두고 '이동국경'이라고 해.

여기부터 미국영토

이동국경
Moving
Frontier

어느 나라고 국경선은 자주 변했지만 역사를 두고 끊임없이 국경선이 변한 나라는 미국이 대표적이지.

더 먹을 땅이 없군.

자, 미국이란 나라는 정말 다른 나라들과 차이가 나는 나라임에 분명하지?

그렇다면 이런 나라를 건설한 사람들은 누구인가?

미국인들은 이렇게 주장하고 있어.

1620년 메이플라워호를 타고 건너간 영국의 청교도들이다!

Fathers of Americans

미국 역사책에도 미국을 건설한 사람들을 필그림 파더스(Pilgrim Fathers)라고 기록하고 있어.

Pilgrim Fathers

'필그림' 이란 성지 순례자라는 뜻도 있지만, 나그네, 방랑자란 의미도 있는데

미국으로 건너간 '필그림' 이란 종교적인 탄압을 피해 영국에서 도망친 청교도들을 말해.

영국

영국왕 헨리 8세는 애정 없는 왕비 캐서린을 버리고 사랑에 빠진 앤 불린과 결혼하려 했어.

Henry VIII
1491~1547

헨리 8세가 가톨릭이 금지한 이혼을 하기 위해

뭬야?!

이혼을 허락할 수 없다고?!

성공회를 세우고 가톨릭교도와 청교도들을 무자비하게 탄압하자

성공회

Anglican Church

최고 우두머리는 왕이 겸함!

가톨릭

청교도들의 일부는 네덜란드로 도망쳤는데 이런 사람들을 필그림 이라고 불렀지.

성공회교도가 아니면

청교도건 가톨릭교도이건 안 가리고 다 죽인다지?

이들은 미국에 건너가면 마음껏 종교의 자유를 누릴 수 있다는 영국 선박회사의 꼬드김에 넘어가

자세한 내용은 여기에 나오니 꼭….

먼나라 이웃나라 미국편 2

메이플라워호에 타고 1620년 미국 매사추세츠의 플리머스에 도착했어.

플리머스

풍랑으로 밀려남

버지니아

원래 목적지

● 배 타고 떠난 영국 항구가 플리머스

또 필그림이 도착하기 이전에 벌써 영국에 갔다온 인디언들도 있어서

이들이 영어를 배워왔기 때문에

What's Your name?

My name is…
'들소와 함께 노래를'

영국 이주민과 인디언 사이를 부드럽게 연결해주어 평화로운 정착이 가능했던 거였어.

그러니 제임스타운이 미국에 건설된 첫 식민지이고,

James Town

제임스타운이 위치한 버지니아 지방이 미국이란 나라의 주춧돌임이 분명해.

The United States of America

남   북

버지니아   뉴잉글랜드

자연 영국에서 건너온 이주민들과 네덜란드에서 건너온 영국 청교도들은

뉴잉글랜드

영국 청교도들

플리머스

버지니아

영국 이주민

제임스타운

여러 면에서 서로 다를 수밖에 없었지.

제임스 타운   플리머스

(보스턴)

버지니아   뉴잉글랜드

제임스타운을 중심으로 한 버지니아 지방이 남부로

SOUTH
남

버지니아

제임스타운

필그림(청교도)들이 건설한 뉴잉글랜드 지방이 북부로 자연스럽게 분리되었고

NORTH
북

뉴잉글랜드

플리머스
(보스턴)

시간이 흐르면서 남부는 담배, 면화 농업을 중심으로 한 귀족적 면모를

정통 영국계   품위와 전통!

북부는 공업을 중심으로 산업화된 기업가적인 면모를 띠면서

청교도 정신!   실용, 실리!

결과적으로 남북전쟁을 거쳐 북부가 주도권을 휘어잡게 돼.

그래서 우리의 조상인 필그림이 미국을 건설한 거라니까!

영국에서 건너온 '귀족적인' 이주민들의 후예인 남부사람들의 눈에

거친 북부에 살고 있는 청교도들이 얼마나 천박하고 우습게 보였겠어?

더구나 북부에는 네덜란드, 프랑스 사람들이 마구 뒤섞여 있었고

프랑스인

뉴잉글랜드
영국인
네덜란드인
버지니아

특히 네덜란드는 맨해튼 섬을 인디언들로부터 헐값에 사들여서

24달러, OK?

뉴암스테르담을 건설했는데 이곳이 뒷날의 뉴욕이야.

New York

그런 만큼 네덜란드 사람들이 북부에 많이 살았는데

와글 와글

New York

New Amsterdam

네덜란드 사람들의 이름 가운데 가장 흔한 게 영국의 '존(John)'에 해당되는 안(Jan)이어서

John 존 : 영어식
Jean 장 : 프랑스식
Johannes 요하네스 : 도이치식
JAN 얀 : 네덜란드식

'얀이란 녀석들' 이란 뜻으로 네덜란드인들을 '얀키' 라 부르던 것이

쟤, 네덜란드 출신이지?

얀키야!

차츰 발음이 '양키(Yankee)'로 변하였다는데 이것은 확실히 증명된 것은 아니야.

얀키 → 양키
JANKI   YANKEE

처음에는 남부사람들이 북부사람들을 깔보는 의미로 부르던 호칭이었고

천박한 양키들…

오늘날에는 전 미국인을 호칭하는 게 되어버렸어.

양키…

US

질겅 질겅

미국인을 비꼬아 양키라고 하는 사람도 있지만, 정작 미국인은 전혀 신경쓰지 않는다고.

난 뉴욕 양키즈팀 팬이야!

NY

NY Yankees

미국은 50개의 주들이 단합하여 이루어진 나라라고 했지?

WA ID WY OK
OR MT ND TX
CA UT SD MN
NV NM NE
AZ CO KS MO…

그런데 주도 아니면서 50개의 주 그 어디에도 속하지 않은 독립된 곳이 있어. 거기가 어디게?

독립지역

50개 주

그러니까 미국은 50개의 주와 여기를 합쳐서 이루어진 것이지. 그곳은… 맞아, 바로 워싱턴!

Washington D.C.

잠깐, 잠깐! 그냥 워싱턴이라고 하면 안 돼.

왜냐하면 미국 서부 캐나다 바로 밑에 워싱턴주가 있거든.

캐나다
워싱턴
MT
오리건
ID

워싱턴주는 미국 50개 주의 하나로 한반도보다 약간 작은 크기에 600만 인구가 사는 곳이야.

Washington

• 조지 워싱턴을 기리기 위하여 주 이름으로 채택
• 수도 : 올림피아 182,949km²
• 별명 : 늘 푸른 주

여기서 얘기하는 워싱턴은 미국의 수도이자 정확하게는 워싱턴 D.C.

Washington D.C. = District of Columbia

즉 '컬럼비아 특구'로, 미국의 수도이자 백악관, 국회의사당 등이 모여 있는 미국의 심장이라고.

미국이 독립했을 당시의 수도는 뉴욕이었어.

그거야 당연하지.

인구도 가장 많았고 경제의 중심지였으니까.

New York

뉴욕은 1785년부터 1790년까지 미국의 공식 수도였는데

북부
뉴욕
남부
대서양

미국의 수도가 '양키'들의 본거지인 뉴욕에 있다는 사실이 남부의 주들에겐 무척 언짢았지.

왜 수도가 북부에 있어야 하지?

이 나라의 지도자들은 대부분 남부출신인데 말이야.

양키들이 저희들 편할 대로 뉴욕을 수도로 정했다구!

군중에게 권력을 주지 마라!

미국의 민주주의와 헌법

오늘날 전세계 민주주의의 모델이 되고 있다는 미국의 민주주의.

DEMO-CRACY

그 미국 민주주의 주춧돌이라고도 할 수 있는 미국의 헌법은

민주주의
헌 법
CONSTITUTION

이렇게 시작되고 있어.

We the People of the United States…

우리 합중국 인민들은…

The People… 더 피플

이를 우리말로 옮기면 아주 다양해진다.

The People

= 인민(人民)
= 시민(市民)
= 국민(國民)
= 주민(住民)
= 평민(平民) 등등

무엇이라고 번역하든, 이 말들에는 한 가지 공통점이 있어.

- 인민 = 귀족, 부르주아 등 계급사회에서의 평민 개념
- 시민 = 평등한 권리를 나누어 갖는 국가 구성원
- 국민 = 계급개념이 없는 모든 국가 구성원 개념
- 주민 = 거주하는 사람 고른 권리를 가짐

계급의 차이가 나지 않는 사람들

모두가 평등한 권리와 자유를 누리며, 의무 또한 고르게 지는

결코 어느 특정 부류가 아닌 모든 사람들을 통틀어 일컫는 말이야.

계급 차이를 인정하지 않는 사회라면

왕족
귀족
평민

누구나가 국가의 주인이 될 수 있고 모두가 국가의 주인이 되는

왕이 주인!
국민이 주인!

왕국
민주국가

국가의 주권이 바로 그들에게서 나오는, 주권행사자가 바로 인민 (the People)인 거지!

We the People!

이 개념은 미국 건국의 기초를 이루고 있는 대단히 중요한 것으로

모든 권력은 국민으로부터 나온다.

따라서 모든 권력은 국민이 뽑은 대표 기관인 의회로부터 나온다.

헌법 CONSTITUTION

오늘의 민주주의 발달은 바로 이 주권재민(主權在民)사상에서 비롯되며

대의 민주주의

주권재민

세계 최초로 그 실험이 미국에서 이루어진 것이지.

민주주의

USA

미국에서 이 실험이 이루어진 까닭은

다른 나라는 이미 국가의 틀이 너무 단단해 피 흘리지 않으면 실험이 불가능하다!

유럽에서 건너와 신대륙을 개척한 사람들은

주권이 누구에게 있어?

종교, 정치, 경제 등의 핍박을 피해

자유! 새세상!

계급의 사슬이 없는 자유의 땅으로 이주해온 유럽의 보통사람들이었으니

귀족에다 가질 거 다 가졌으면

미쳤다고 여기 와 이 고생하겠수?

그들이 꿈꾸었던 새로운 '그들의 나라' 는 자유와 평등을 가장 중요한 근본으로 삼을 수밖에!

자유! 평등!

왕도, 귀족도 없는, 모든 사람이 평등한 나라를 만들자!

왕, 군주에게 모든 권력이 집중되어 그 권력이 인민을 탄압하는 수단이 되는 것을 반드시 막아야 한다!

그 누구도 우리들의 자유와 권리를 힘으로 억누르지 못하게 해야 한다.

평등 사회

권력 집중 방지

자유 권리 보장

이 세 가지 조건을 만족시키는 나라를 만들자!

말은 듣기 좋다만 그게 과연 가능할까?

영국에서 건너와 미국에 식민지를 개척하고 새나라를 세운 사람들은

비록 계급차이는 없다고 하더라도 당시의 시대에 비추어볼 때

사람이 과연 모두 같은 사람으로 여겨졌을까?

왕족, 귀족, 평민 같은 인간의 계급이 너무도 당연하던 시대에

마담 콩테스!

비록 계급은 없지만 노예계급이라는 '사람으로 볼 수 없는' 존재가 있던 미국에서

노예가 과연 그들과 같은 사람으로, 권력을 같이 누릴 수 있는 '인민'으로 보였을까?

남녀차별이 당연하였고, 정치는 남자만의 것이라고 생각하던 시대에

여자가 남자와 같이 권력을 나누어 가질 수 있는 '인민'으로 보였을까?

뭐, 투표?

여자가 별걸 다 참견하고 있네!

또한 가진 자가 못 가진 자의 윗자리를 차지하고 있던 시대에

꼬르르륵

국민의 가장 기본적인 의무인 세금조차 낼 수 없는 가난뱅이가

세금도 안 내는 주제에 무슨 권리행사….

함께 권력을 나눌 수 있는 '인민'으로 보였을까?

이런 '인민' 자격도 갖추지 못한 수준 이하의 존재들이 권력에 접근한다는 것은 있을 수 없다!!

43

그래서 미국 헌법이 제정될 당시의 우리 '인민(The People)'이란

We the people⋯.

1780년대

최소한 '인민'의 자격을 갖추고 정치에 참여할 만한 가치가 있는 인간

이때는 프랑스 대혁명(1789) 보다도 먼저⋯.

그러니까 무엇보다 백인이어야 하며

흑인은 사람이 아니면 뭐냐?

흑인이 노예이지 어찌 사람이니?

남자여야 하며

여자는 '인민'이 아닌가요?

정치에 끼어들어선 안 되는 인민이지. 남자 일이니까!

21세 이상 된 성인이어야 하며

나 이제 다 컸는데요.

아직도 머리에 피도 안 마른 게 정치는 무슨!

세금을 낼 수 있는 경제 능력을 가진 사람으로 제한되어 있었지.

나도 투표⋯.

거지가 무슨 정치!

그러므로 모든 국민에게 평등한 자유와 권리를 보장한다는 민주주의 헌법의 본보기인 미국 헌법은

미국헌법

계급 차별, 인종 차별, 남녀 차별, 경제 차별이라는

여성   흑인
     유권자
21세   빈민
이하

전체인민

차별 정신 아래 만들어졌으며

인간은 평등하지 않다.

투표권을 가진 백인만이 평등하다!

국가의 권력을 모든 인민에게 고르게 나누지 않고

이거 위험한 거야!

미국 사회를 이끌어가는 일부 주도 세력만이 독점하겠다는 의도 아래에서

투표권이 있더라도

아무나 정치에 끼어들어서는 골치 아파진다.

투표권

일반대중의 권력 접근을 원천적으로 봉쇄하게끔 만들어졌다는 것을 모르고 있었지?

잡것들이 권력에 얼씬대지 못하게 하자!

권력

건국 초기에 투표권을 가질 수 있고, 정치에 참여할 수 있었던 '인민' 은

백인이다.

21세 이상이다.

남성 이다.

세금을 낸다.

지극히 일부에 지나지 않았어.

보기 1824년 | 대통령 선거

미국 인구: 10,000,000명
투표자 수: 250,000명

전체 인구의 2.5%

그러나 국가의 주권이 '인민(국민)'에게 있다고 못 박은 미국 헌법의 정신으로 인해서

왕족
귀족
평민
유럽

주권

인민
미국

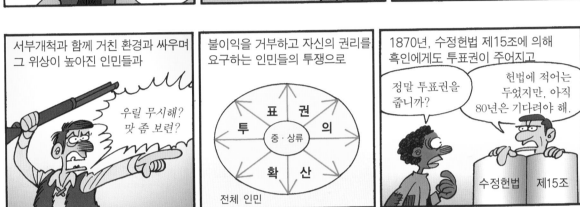

서부개척과 함께 거친 환경과 싸우며 그 위상이 높아진 인민들과

우릴 무시해? 맛 좀 보련?

불이익을 거부하고 자신의 권리를 요구하는 인민들의 투쟁으로

투 표 권 의 확 산
중·상류

전체 인민

1870년, 수정헌법 제15조에 의해 흑인에게도 투표권이 주어지고

정말 투표권을 줍니까?

헌법에 적어는 두었지만, 아직 80년은 기다려야 해.

수정헌법 | 제15조

1920년에는 여성들에게도 투표권이 주어지는 등

정말 투표권을 줍니까?

정말 드리죠!

인종, 성별, 재산에 제한되지 않고 모든 인민의 평등한 권리가 보장되는

모든 미국 시민은 평등!

진정한 민주주의로 발전할 수 있었던 거야.

민주주의

그러나 미국의 헌법은 지금까지도 분명한 것이 아무리 민주주의라고 하여도, 일반대중이 숫자로 밀어붙이는 것을 근본적으로 봉쇄하고 있으며

바꿔라 와 와 와

대중들이 직접 권력에 접근하는 것을 제도적으로 막고 있다는 거야.

메롱 권력

어느 권력자도 너무 많은 권력을 가져서는 안 된다! 권력을 쪼개라!

일반대중이 너무 많은 힘을 가져서도 안 된다!

민중의 권력에의 접근을 막아라!

유권자

권력

이러한 기본 원칙이 미국의 제도에 어떻게 현실적으로 나타나는가 알아볼까?

권력 분산

대중의 권력 접근 차단

그들이 가장 두려워한 권력의 집중, 즉, 군주제와 같은 독재권력은

결국 인민을 탄압하고 착취하게 되므로

이를 막기 위해 권력을 쪼갠 것이 바로 3권분립이라는 거야.

행정부 Administration

삼권분립

입법부 Legislation

사법부 Justicature

절대왕권의 상징인 프랑스의 루이 14세는 이렇게 말했지.

짐이 곧 국가니라!

L'état, c'est moi!

이는 군왕이 나라를 다스리는 행정권

세금을 올려 길을 닦고, 수도를 옮기도록 하라!

법을 만들고 없애는 입법권

떼거지법, 국민 정서법을 폐지하고

국법을 지키지 않으면 국외로 추방시키는 법을 만들라!

신민의 유죄, 무죄를 판결하는 사법권을 모두 쥐고 있다는 의미이며

네 눈동자 색이 맘에 안 들어.

사형!

왕을 견제할 세력은 전혀 존재하지 않는 절대 권력자란 의미야.

바로 이것을 막기 위해 미국은 권력을 3개로 쪼갰던 거지.

행정 입법 사법

대통령은 행정부를 이끄는 국가의 원수이자 지도자이지만

모든 권력행사를 의회와 상의하고

이러이러해서

국방 예산을 30% 올려야 하니, 괜찮습니까?

허가를 받아야 하며

인준합니다!

땅땅땅

지나친 권력을 사용하거나, 해야 될 임무를 제대로 수행하지 못하면

이 땅에서 결코 테러 공격당하는 일은 없으므로 안심하십시오!

국회의 견제를 받는 것은 물론

쾅

테러가 없을 거 라고?

심할 경우에 그 자리에서 밀려날 수도 있도록 하였어.

탄핵

Impeachment!

의회 또한 국민의 선거에 의해 선출되지만

×××××
××당

○○○○○
××당

△△△
××당

그들이 만든 법안이나 요구가 적절치 않다고 판단될 경우에는

대통령이 말실수가 잦으니 하루에 100단어 이상 못하게 하는 법을 국회에서 제정⋯⋯

대통령이 거부권을 행사하여 이를 견제하고

VETO!

거부권

극단적인 경우에는 의회를 해산까지 할 수 있는 권한을 주고 있지.

국회해산

법원은 엄정한 중립을 지키도록 헌법으로 보장하여,

중 립

정부와 의회 사이에 갈등이 생길 경우 그 누구의 압력도 받지 않고 공정한 판정을 내리도록 하고 있다고.

그런데 만약 정부, 의회, 법원이 지나치게 큰 권력을 휘두른다면?

그렇게 못하도록 또 쪼개야지!

그래서 정부도 중앙정부인 연방정부와 각 주의 정부로 나누어

연방정부
(중앙정부)

주 정부
(50개 주)

연방정부는 군사, 외교, 경제 등 나라 전체의 공통적인 부문을 맡고

국방

외교

경제

각 주의 자치를 완전하게 보장해 줌으로써

2004년 현재 각주 소비세율

앨라배마	2~5%
알래스카	없음
애리조나	2.87~5.04%
아칸소	1~6.5%
캘리포니아	1~9.3%
콜로라도	4.63%

인민들을 억압하는 거대한 국가권력의 등장을 막고 있어.

의회가 지나치게 큰 권한을 갖는다면 또 문제가 생기겠지?

의회폭력이다!

합법을 빙자한 의회 쿠데타다!

그래서 아무리 국민이 뽑은 의원들로 구성된 국회라 하더라도

국회의원

지 지 유 권 자

이들의 지나친 권력행사를 막기 위해 의회도 견제장치를 마련하고 있는데

우리는 국민의 대표다!

국회

이것이 바로 의회가 상원과 하원으로 구성되는 양원제도로

Congress의회

The Senate
상원

The House of Representatives
하원

하원의원은 국민이 직접 뽑지만

투표함

1914년까지만 해도 상원은 주의회 의원들이 선출했어.

상원의원 (간접선거)

주의원

유 권 자 들

법원도 사법 분야에서 유일한 기관이라면 권력이 집중되겠지?

그래서 법원도 연방법원과 주법원으로 나누고

사법권
The Justical Power

Supreme Court 연방법원 (대법원)	Inferior Court 하급법원 (주법원)

미합중국 헌법 제3조 첫머리에 '사법권의 독립'을 분명히 규정했어.

그러나 대통령이 대법원 판사를 임명하므로

사법부에 영향을 끼치는 경우도….

맘에 드는 대법관

이처럼 권력을 여러 개로 나누어

권력은 독점하면 위험한 것

고르게 나누어 줘야….

권력

서로 견제하게 함으로써 균형을 잡아

견제 Check & 균형 Balance

절대권력이 나타나는 것을 제도적으로 막은 거야.

제도

권력

그렇다면 일반대중이 너무 많은 힘을 갖지 못하도록

민중의 함성이 곧 헌법이다!

와 와

어떻게 권력에 접근하는 것을 막은 줄 알아?

고 따위 포퓰리즘은 어림 반 푼어치도 없다!

와 와

제도

일반대중이 직접 정치에 참여하여 힘을 발휘하는 방법은 바로 선거이다.

Vote

국민이 유권자가 되어 그들의 대표를 뽑아 의회에 내보내는 대의민주주의 에서

누굴 뽑을까?

국민의 대표인 의원이 가장 두려워 하는 것은 바로 유권자이다.

…저요!

저요!

쉽게 말해 일반대중이 권력에 직접 접근하는 방법은 직접투표로 대표를 뽑는 것이 아니겠어?

투표

권력

유권자

대표

그런데 미국의 헌법이 규정하고 있는 국민들의 권력행사

주권은 국민에게 있다.

모든 권력은 국민에게서 나온다.

US Constitution
미국헌법

즉 직접투표라는 것은

내 손으로 이 나라 미래를 결정하겠다!

투표장

3권분립 중 오직 의회의 반에 지나지 않는 하원의원 선거와

투표장

상·하원 선거 ONLY

상원의원의 3분의1만 매 2년마다 뽑을 수 있을 뿐이야. 그나마 상원의원도 주의원이 뽑던 간접선거였다가 1914년에 와서야 직접선거로 바뀌었지.

의회   정부   법원

그러니까 일반대중이 의회선거 외에는 직접 영향력을 발휘할 수 없게 봉쇄되어 있는 것이다!

대법관도 못 뽑고…

대통령도 못 뽑고

설마, 그럴 리가….

민주주의의 선두라는 미국에서 그렇게 국민의 힘을 제약하다니….

그러나 이는 분명한 사실이고, 유권자는 오직 대표들만 직접선거로 뽑을 수 있을 뿐이야.

직접선거

상원의원

하원의원

정말인지는 이제부터 살펴보자고.

미국의 선거 제도

하원의원, 상원의원, 그리고 대통령 선거는 한꺼번에 하고 있어.

대통령 선거의 해 Presidential Year

대통령 선거

상원의원 선거

하원의원 선거

하원은 말 그대로 국민들이 직접 뽑은 국민의 대표자들로 구성되고

House of Representatives

하원(下院) ="대표자의 집"이라는 뜻

임기는 2년으로, 각 주의 인구비례에 따라 의원 숫자가 결정되지.

한국 국회의원은 좋겠다. 우리보다 임기가 따블이야.

KOREA   USA

자, 이처럼 하원의원 선거 외엔 국민이 직접 권력에 접근하지 못하게 차단되니까

STOP
접근금지

다수 군중의 힘으로 밀어붙이려는 과격한 변화는

미국에서는 제도적으로 절대 불가능해.

미국역사에는 선거에 의한 혁명도

대중봉기에 의한 혁명도 없었다.

미국역사

정확하게 얘기해서 미국에서는 합리적인 토론과 국민적 합의가 없이는

뒤집어엎자!

엎고 싶어도 그럴 수가 없어.

절대 혁명적인 변화가 일어날 수 없다.

바퀴가 빠져도 굴러가네!

권력을 분산시켜 두었으니까.

이것이 바로 민중의 다수힘에 의한 위협에서 법질서를 보호하는 장치인 거라고.

국민이 원한다!

안 돼. 법이 허용하지 않아서.

아무리 민중이 원한다 하더라도 미국에서는 왜 혁명적으로 현실이 뒤집어질 수 없는지 예를 들어 설명해볼까?

가령 438명의 하원의원이 민주당 200명, 공화당 238명으로 구성되어 있고

민주당 공화당

하원

정원 100명의 상원은 민주당 40명, 공화당 60명으로 구성되어 있다고 치자.

민주당 공화당

상원

공화당
보수
진보
민주당

양당정치가 전통인 미국에 갑자기 혁명당이 나타나

미국혁명당
R.P.U.S

국민들의 인기가 하늘을 찌를 듯 치솟는다고 가정해보자고.

유권자 여러분, 우리 당이 집권하면 모든 세금을 없애겠습니다!

초등학교부터 대학교까지 완전 무료, 병원은 죽을 때까지 무료, 가난한 자의 생활비는 모두 국가가 책임지겠습니다! 부자세 만들게요!

이 세상의 모든 전쟁을 없앨 것이며 모든 국민에게 무료로 집을 나누어 주고 해고는 금지시키겠습니다! 월급은 달라는 대로 줍니다!

부자의 재산을 모두 국유화하여 가난한 이들이 모두 잘사는 나라로 바꾸겠습니까!

국민 여러분, 미국은 바뀌어야 합니다. 시민혁명을 완수해야 합니다. 그러자면 이 혁명당을 지지해주십시오!

국민들은 혁명당의 선동에 넘어가

혁명이다! 와!
선거로 시민혁명 완수하자!!

선거에서 100% 가까이 혁명당을 지지, 나라를 완전히 뒤집으려 했다고 가정하자.

OO TIMES
혁명당, 의석쓸이
이번선거에서 상하원 완승

그러면 어떤 변화가 일어날까?

이젠 혁명당이 정권을 잡는건가?

혁명당 세상이야. 이건 선거 혁명이라고!

하원의원 438명에 모두 혁명당 후보가 당선되고

하원선거

혁명당 438명 당선

공화당 0석

민주당 0석

상원의원을 뽑는 선거에서 100% 혁명당의 후보가 당선됐다고 가정해 보자고.

혁명당

하원의원의 임기가 2년이기 때문에

자, 이제 공약대로 새로운 미국을 건설하자!

하원을 완전 장악한 혁명당은 정말 혁명적인 법을 2년 동안 계속 만들어

의원 축출법
연금500% 인상법
유색인종 추방법
의료보험 무료화법
해고 방지법
임금1000% 인상법

나라를 혁명적으로 뒤집어엎으려 하겠지만

이대로라면 지상낙원이 되겠네.

돈도 없이 인심만 팍팍 쓰려는 게야.

그것은 절대 불가능해. 왜냐?

하원이 아무리 혁명적인 새 법을 만들어 통과시킨다고 해도

해고 무조건 금지법

인금 1000% 인상법

땅 땅 땅 통과 !!

하원

혁명당 100% 장악

아직도 상원에 버티고 있는 민주당, 공화당 의원이 3분의 2나 되고

2년마다 3분의 1씩 뽑으니까….

혁명당 1/3

공화당

민주당

이들은 전혀 다른 이념을 가지고 혁명당을 반대하니까

그건 말도 안 되는 법이다!

미국을 공산화 하자는 거야!!

하원이 만들어 통과시킨 법이 상원에서 절대로 인준받을 수 없을 뿐더러

해고 무조건 금지법

인금 1000% 인상법

받아들일수 없다! 부결!

땅 땅 땅

상원

반(反)혁명당인 민주당(또는 공화당) 출신 대통령도

상·하원 모두 통과한 법입니다.

상원까지…? 있을 수 없는 일이 생겼군.

반드시 거부권을 행사하여 하원이 만든 법을

그런 법은 절대 받아들일 수 없다!

VETO!

거부권

다시 토의하도록 의회로 되돌려 보낼 것이 분명해.

그 법이 합당한지 다시 심의, 의결해보시오!

법안

하원이 끝내 이 법을 시행할 목적으로

우리는 개혁을 완수해야 한다. 어떤 일이 있어도 이 법은….

법안

재판까지, 즉 대배심까지 가지고 간다 하더라도

대통령의 거부권 행사는 부당하다!

연방대법원

반(反)혁명당인 대통령이 임명한 대법관들이 혁명당에 동조할 리 없으니

대통령의 거부권 행사는 정당하다.

땅 땅 땅

이 법안은 기각한다!

연방대법원

혁명당이 만드는 어떠한 과격한 법도 절대로 빛을 볼 수가 없게 되어 있어.

과격 선동 정치

상원 안

대통령 전

대법원

미국에서 혁명이란 불가능하고 이는 간접선거라는 제도에 의해 대중의 권력접근을 막은 결과지.

포퓰리즘

민중선동

시민혁명

간접선거

54

유권자가 직접투로 뽑는 대상이 오직 하원의원과 상원의원 3분의 1에 지나지 않고

하원의원 / 상원의원 1/3 / 유 권 자

대통령, 대법관 등이 모두 간접으로 뽑히는 미국제도는

대통령 / 대법관 / 유권자 / 간접선출

다수결 원칙이 생명인 민주주의 체제에서

민주주의 원칙

다수 > 소수 / 이끈다! / 따른다.

다수가 소수에게 지는 비민주적인 모순이 나타나는 경우가 있어.

다수 < 소수 / 패배…. / 승리!

그 대표적인 것이 대통령 선거 제도인데

뒤에 자세히 설명할게요.

미국 대통령 선거제도

전체 득표 수는 많은데 적게 얻은 후보에게 지는 경우가 생기게 돼.

낙선 / 당선 / 51표 / 49표

그 이유는 대통령 선거인단에 의한 간접선거 방식 때문으로

유권자 (국민) →선출→ 대표 (선거인단) →선출→ 대통령 / 간접선출

2000년 대통령 선거에서 민주당 후보였던 앨 고어는 50,996,039표를 얻어

고어득표 | 50,996,039표

Gore Lieberman 2000

50,456,141표를 얻은 공화당의 부시 후보보다 539,898표 앞섰지만

50,456,141표 | 부시득표

BUSH CHENEY

* 2000년 대통령 선거 운동 민주, 공화당 선거 포스터

선거인단 수에서 5명 뒤졌기 때문에 부시에게 대통령직을 넘겨줄 수밖에 없었지.

후보	선거인단 수
조지 W. 부시 (공화당)	271명
앨 A. 고어 (민주당)	266명

이런 경우는 1824년 선거에서 앤드루 잭슨이 득표에서 앞서고도 낙선하는 등 이런 비민주적 사례가

X	앤드루 잭슨	151,271표
O	존 퀸시 애덤스	113,122표
X	W.H.크로포드	40,856표
X	헨리 클레이	47,531표

고어까지 무려 4번이나 되니, 미국식 민주주의도 큰 모순을 안고 있는 셈이야.

다수결 원칙에 따른다. / 소수가 다수를 지배할 수도 있다.

미국식 민주주의

55

원래 의회라는 것은 말 그대로 '말하는 곳', '대화하는 곳' 이라는 뜻으로

| Parliament | 영국의회 |

↓

Parle: "말하다"(프랑스어) 에서 비롯됨
= 말하는 곳, 회의하는 곳

미국에선 콘그레스, 우리나라에서는 국회라고 해.

Congress 미국 의회

National Assembly

한국 국회

의회의 유래는 중세 영국에서 시작돼.

대표 없는 곳에 세금도 없다!

왕이 국정을 시행하려면 혼자의 힘으로는 불가능해서

프랑스와 전쟁을 해야겠는데…

많은 신하들과 상의를 해야 했어.

전쟁경비를 어찌하면 좋겠소?

이들 신하들은 왕이 없는 곳에서도 국가의 일을 논의하기 위해 말을 많이 나누었고

또 전쟁이야?

돈을 대줘야 하나, 말아야 하나…?

이들이 '말을 나누는 곳' 이 바로 영국의회의 출발이었던 거야.

| 말하다 = parle |

말 나누는 곳
Parliament

왕을 모시고 국정을 논의할 정도면 높은 벼슬을 하던 사람들이고

윌포드 백작   요크셔 공작   베드포드 후작

이들은 자연 귀족(Lords)출신이었기 때문에 영국의회는 '귀족들의 회의소' 였었지.

경들은….   Lords….   Sir!

그런데 점차 산업, 상업이 발달하고

평민들의 힘이 커지면서

부르주아 계급
Bourgeoisie

평민출신 실력자들

왕이 세금 거두기가 전처럼 만만하지가 않았어.

세금 바쳐라~!

NO!
이유를 대시와요!

돈과 실력을 가진 평민들은 그들의 권리를 주장했지.

돈이 짜낸다고 그냥 나오냐?

내라면 내고 말라면 말던 시대는 지났어!

기브 앤드 테이크. 받을 건 받고 줄 건 주겠다!

우리의 요구를 들고 받아들이도록 우리 대표들 모임을 허용하라!

대표가 없는 곳에 세금도 없다!

우리 권리를 무시하면 세금을 거부하겠다!

저 아랫것들이 겁없이 설치네. 언짢게….

예전의 아랫것들이 아니외다!

자신을 '보통사람들' 이라며 설친다며?

귀족이 아니라 보통사람이니까요(Commons).

어쩌냐… 저 '보통것들' 과 같은 자리에 앉아 국사를 논한다는 것은 우리 귀족(Lords)들의 체통 문제니….

그렇다면 저 '보통것들' 이 모여 하는 회의를 따로 만들라 하죠.

이래서 영국의 의회는 평민들의 대표기관인 서민원(하원)

House of Commons
(현 659명)

귀족들의 의결기구인 귀족원(상원) 으로 나뉘게 되었지.

House of Lords
(현 695명)

일본에서는 상원을 참의원, 하원을 중의원으로 부르고

참의원(參議院)
House of Councilors
247명

중의원(衆議院)
House of Representatives
480명

과거에는 귀족출신만이 상원의원이 될 수 있었는데

어흠!

상원

지금은 영국이나 일본이나 귀족이 아니라도 상원의원이 될 수 있어.

하이!

상원

미국의 경우에는 상원을 '세너트 (Senate)'라 하고, 상원의원을 '세너터'라 부르는데

세너터!

하이!

이 명칭은 고대 로마시대 국가 원로들의 회의기구인 세나투스(Senatus), 즉 원로원(元老院)에서 온 말로

말 그대로 좀 나이 들고 듬직한 원로들의 무게가 느껴지지 않아?

의원후보로 출마하여 선출될 수 있는 나이도 달라서

미국의 시민으로 7년 이상 된 만 25세 이상이면 하원의원 후보로 출마할 수 있지만

미하일 안드로포비치

출생/구 소련 모스크바
만 25세
미국입국 10세 때
국적취득 18세 때

출마가능

상원의원 후보로 출마하려면 만 30세 이상이 되어야 함은 물론이고

헤수스 마리아 로욜라

출생/멕시코, 티후아나
만 30세
미국입국 10세 때
국적취득 8년 전

출마불가

미합중국 시민이 된 지 9년 이상 돼야 해.

다음 선거 때나 출마해보시오.

상원과 하원은 원칙적으로 위와 아래의 관계가 아니며

상원

하원

동등한 위치

국가를 위해서 중요한 존재들임에는 똑같은 입장이지.

상원 — 4 합동 위원회 — 하원

14 상임 위원회 / 4 특별 위원회 / 22 상임 위원회 / 1 특별 위원회

(정보위원회)

다만 품격 등 모든 면에서 상원이 훨씬 품위와 권위가 있음을 부정하기 어려워.

상원의원

대부분이
• 명문가문 출신
• 명문대학 출신
• 부자
• 화려한 경력

그런데 하원의장을 '대표들의 대변인' 이라고 부르는 데 비해

Speaker of the House of Representatives

= 대표들의 대변인

= 하원의장

'상원의장님' 이라고 부르는 차이만 봐도 알 수 있다고.

President of Senate

상원의장

그러면 미국의 상원은 왜 있으며 하는 역할은 무엇인지 알아보자.

Senate of USA

미국의 하원의원은 각 주의 대표들이야.

말 그대로 주민의 대표들이죠.

선거구

이들은 인구에 따라 숫자가 결정되는데 약 53만 명에 하원의원 1명꼴로 선출되고 있지.

인구 50만 명이 안 되더라도 하원의원 1명을 보장해야 한다!

헌법

인구 100만 명도 안되는 알래스카, 델라웨어주 등에서는 단 1명의 하원의원이 선출되지만

Alaska

인구 626,932명
(2000년)

→ 하원의원 1명

인구가 많은 주는 그 수의 비례로 의원 수가 많아져서

하원의원 1명 뽑는 주

알래스카(AK)
델라웨어 (DW)
노스다코타(ND)
사우스다코타(SD)
버몬트(VT)
와이오밍(WY)

가장 인구가 많은 캘리포니아주는 무려 43명이나 되는 하원의원이 선출되고 있어.

캘리포니아인구=3,390만명

3,390만÷53만
= 64하원의원

요렇게 계산하면 잘못!

인구가 100만인 선거구도 단 1명만 뽑으니까.

이런 식으로 뽑힌 전체 하원의원의 정원이 438명인데

Representatives

438명

어느 주의 의원이건 1명이 1표밖에 행사할 수 없으니

하원

자칫하면 의원 수가 많은 주에게서 꼬마주들이 불이익을 받을 가능성도 있겠지?

43표

캘리포니아

1표

알래스카

인구 적은 주는 주가 아니냐?

인구 많은 주에 눌려 제 목소리 못 내는 건 억울하다!

작은 고추도 맵다는 걸 인정하라!

큰 주, 작은 주 모두 고르게 기회를 갖게 하라!

바로 이러한 주간의 불평등을 조절하기 위해 상원이 존재하는 거라고.

이제 됐지?

상원

알래스카

캘리포니아

하원의원의 정원이 인구비례에 따라 선출한 438명인데 비해

보기 : 앨라배마주 *	당선일
1. 조 바너(공화당)	2003
2. T. 에버렛(공화당)	1993
3. M. 로저스(공화당)	2003
4. R. B. 애더홀트(공화당)	1997
5. R. 크래머 JY(민주당)	1991
6. S. 바커스(공화당)	1993
7. A. 데이비스(민주당)	2003

* 2003년 현재

상원의원은 정원이 모두 100명으로 50개 주에서 각 2명씩을 선출하지.

주	의원	당	임기종료
앨라배마	R. 쉘비	공	2005
	J. 세션스	공	2003
알래스카	T. 스티븐스	공	2003
	L. 머콥스키	공	2005
애리조나	J. 맥케인	공	2005
	J. 카일	공	2007
⋮	⋮	⋮	⋮

이는 인구에 관계없이 각 주에서 무조건 같은 수의 상원의원을 선출하여

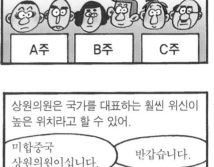

크건 작건 주의 크기, 인구의 수에 개의치 않고 모든 주가 똑같은 권리를 행사하게 한 것인데

하원의원이 출신 주를 대표한다고 할 때

오하이오주 의원입니다.

상원의원은 국가를 대표하는 훨씬 위신이 높은 위치라고 할 수 있어.

미합중국 상원의원이십니다.

반갑습니다.

또 상원의원의 임기가 하원의원의 3배인 데다가

하원의원

2년

상원의원

6년

전미국에서 오직 100명밖에 선출되지 않는다는 희소가치에,

하원의원

상원의원

435명

100명

출마할 수 있는 나이제한 등에서 하원의원보다 한 격이 높다 보니

25세 이상 7년 이상 시민

하원의원

30세 이상 9년 이상 시민

상원의원

거물급 상원의원은 자연스럽게 대통령 후보로 떠오르게 마련이야.

글쎄요. 차기 대선에 나서볼 의향은 있습니다.

상원에의 진출은 미국의 정치인들에게는 큰 꿈을 키울 수 있는 등용문이기도 한데

백악관

상원

그런 상원에 걸맞게 상원의장은 미합중국 부통령이 자연직으로 맡도록 되어 있지.

대통령

부통령

= 상원의장

인간은 누구나 자기 고유의 견해와 주장을 지니게 마련이고

나는 이렇게 생각한다!

뜻을 같이하는 사람들끼리 뭉쳐 파벌을 만들어

나도! 나도! 그래! 나도!

반대파에 공동 대처하는 것은 너무도 자연스러운 현상이야.

이렇다! 아니다!

이러한 파벌의 대립과 갈등은 때로는 파괴적인 결과를 빚기도 하지만

콰

한 세력의 부패와 정체를 막고 건강한 경쟁을 이끌어냄으로써

국가와 사회의 발전을 촉진하는 중요한 요소이기도 해.

또 이런 경쟁은 한 세력의 권력독점을 막고 권력남용을 견제하며

덜컹 덜커덩 콰

무능한 세력을 교체하여 더욱 건강한 사회건설에 이바지하는 거지.

운전대 잡을 자격 없어!

정치라는 것이 말만 민족과 국가를 위한 것이지, 이익집단들의 대결을 조화롭게 절충하는 것이고, 그 집단이 정당이 되는 것이지만

정치

정당 정당

선명한 이념을 내건 정당들이 정당한 경쟁을 벌인다면

진보! 보수!

개혁 개량

권력을 쪼개 서로 경쟁, 견제함으로써 절대 어느 한쪽이 권력을 독점하여 국민의 권익을 침해하지 못한다는 점에서

권력

견제

경쟁

미국은 두 개의 정당, 즉 양당제도의 전통을 잘 지켜왔다고 할 수 있지.

보수정당 진보정당

Republicans 공화당

Democrats 민주당

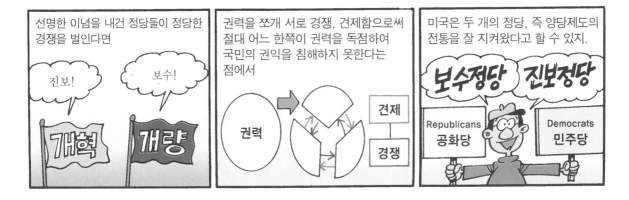

남북간 대립이 격심해져 전쟁 위기가 감돌던 1861년

노예제 유지 | 노예제 폐지

남 / 북

휘그당에서 노예제 반대론자들이 당을 나와 공화당을 창건하였고

Republican

노예해방!

휘그당

그들이 내세운 에이브러햄 링컨이 대통령에 당선됨으로써 공화당 천하를 열었어.

이때부터 민주·공화 양당제가 깊은 뿌리를 내렸죠.

민주당 | 공화당

19세기 후반이 되자 '자본주의의 모순'에 반발하여

노동자의 권익을 보장하라!

기업가의 착취를 분쇄, 사회정의 실천!

세계 곳곳에서 진보주의 정당들이 우후죽순처럼 많이 생겨났고 미국에서도 새로운 진보정당들이 헤아릴 수 없을 만큼 많이 나타나고 사라졌지.

와

Populist Party 대중당 | Socialist Party 사회주의당 | Socialist Labor Party 사회주의노동당 | Communist Party 공산당 | Comic Party 만화당

썰렁!

26대 대통령 시어도어 루스벨트와 그가 밀어 27대 대통령에 당선된 하워드 태프트는 모두 공화당 출신이지만

태프트가 대통령에 취임하자마자 루스벨트 측 사람들을 모두 요직에서 몰아내자

루스벨트계

격분한 루스벨트는 '진보당'을 만들어 28대 대통령선거에서 공화당 후보이자 현직 대통령 태프트와 맞붙었는데

복수다!

Progressive Party 진보당

* Theodore Roosevelt(좌), Howard Taft(우)

결국 공화당 지지표가 분산되어 당선 가능성이 없다던 민주당 후보 우드로 윌슨이 당선된 적도 있어.

당선

1933년 프랭클린 D. 루스벨트(FDR)가 대통령에 취임하여 모두 4번씩이나 당선되었고

FDR

· 1932 32대 대통령 당선
· 1936 당선
· 1940 당선
· 1944 당선
· 1945 사망

이때부터 미국은 현대적 정당정치 시대로 접어들어 오늘에 이르게 되었지.

다른 정당이 끼어들 틈이 없다.

공화 / 민주

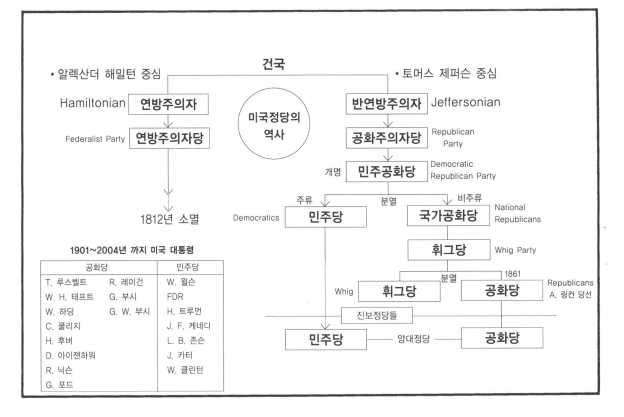

미국정당의 역사

건국

- 알렉산더 해밀턴 중심
  - Hamiltonian — **연방주의자**
  - Federalist Party — **연방주의자당**
  - 1812년 소멸

- 토머스 제퍼슨 중심
  - **반연방주의자** Jeffersonian
  - **공화주의자당** Republican Party
  - 개명 **민주공화당** Democratic Republican Party
    - 주류 Democratics **민주당**
    - 분열 — 비주류 **국가공화당** National Republicans
      - **휘그당** Whig Party
        - 분열 Whig **휘그당**
        - 1861 **공화당** Republicans A. 링컨 당선
  - 진보정당들
  - **민주당** ─ 양대정당 ─ **공화당**

1901~2004년 까지 미국 대통령

공화당		민주당
T. 루스벨트	R. 레이건	W. 윌슨
W. H. 태프트	G. 부시	FDR
W. 하딩	G. W. 부시	H. 트루먼
C. 쿨리지		J. F. 케네디
H. 후버		L. B. 존슨
D. 아이젠하워		J. 카터
R. 닉슨		W. 클린턴
G. 포드		

1901년부터 2004년에 이르기까지 미국은 모두 43대째 대통령을 뽑았어.

1. 조지 워싱턴
2. 존 애덤스
⋮
42. 윌리엄 J. 클린턴
43. 조지 W. 부시

우리나라와는 달리 미국의 대통령제는

제5대 대통령
제6대 대통령
제7대 대통령

박정희(朴正熙)

한 사람의 대통령이 몇 번의 임기를 하더라도 1대로 계산하지만

프랭클린 D. 루스벨트

미국의 제32대 대통령
- 1932
- 1936
- 1940
- 1944

당선

매 4년마다 어김없이 선거를 통해 뽑히기 때문에, 대통령에 누가 당선되느냐로 미국민의 성향을 읽을 수 있지.

VOTE
2000
2004
2008
2012
The Presidential Year

1900년부터 2004년까지 대통령직은 공화당 출신이 56년간, 민주당 출신이 48년간 맡았으니

공화   민주

미국 국민들은 진보적 성격보다는 약간 보수적 색깔이 강하다는 얘기가 되지?

우리 눈엔 둘 다 보수인데…

미국식 보수   미국식 진보

유럽

멀고도 험난한 백악관에로의 길

알고 보면 재미있는 미국의 대통령 선거제도

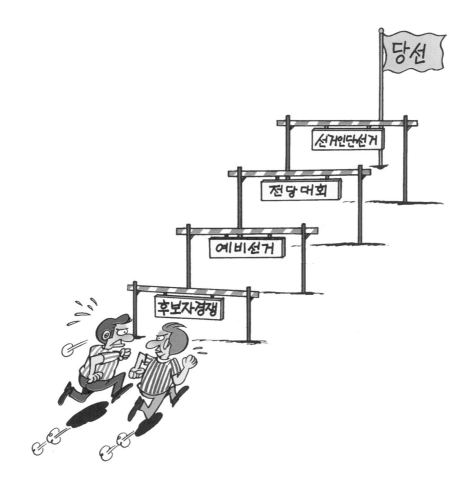

미국의 대통령은 미국을 이끄는 지도자일뿐 아니라

세계 유일의 초강대국의 최고 권력자이기 때문에

미국대통령의 모든 것에 전세계의 관심이 집중되고, 매일 언론에 보도되고 있어.

미대통령은 어제 이라크사태에 대해 성명을…

그러므로 미국대통령을 뽑는 선거는 전세계가 들썩거리는 중대사 중에 중대사가 아닐 수 없지.

올해가 미국 대통령 선거하는 해지?

그 결과에 따라 중동정책도 변할걸.

그러나 워낙 그 절차와 방법이 까다로워서 제대로 알고 있는 외국인들이 별로 없지.

예비선거

Unit Rule System

대의원

선거인단

하지만 이를 알고 미국대통령 선거 과정을 지켜보면 마치 게임처럼 흥미진진하기가 이를 데 없다고.

ELECTION 선거

미국에는 피에 의해 왕관을 물려받는 세습군주제가 아예 존재하지 않았고

4년에 한 번씩 국민들의 투표, 즉 선거에 의해 국가 최고지도자를 선출하는 제도

공화당후보

민주당후보

즉 대통령 제도를 세계에서 처음 실시한 나라라고 했지?

* 1960년 대통령 후보로 지명된 J. F. 케네디 부부

그런 만큼 대통령이 되기 위해서는 멀고 험한 고개를 무수히 넘어야 하며

대통령 선거가 끝난 그 순간부터 당선자는 다음 임기를 위해, 경쟁자는 다음 선거에서 이기기 위해

당선

4년에 걸친 대통령 선거 대장정이 시작된다고 할 수 있어.

딱

START

미국대통령이 국민의 직접선거가 아니라

국민이 뽑은 대통령선거인단에 의해 뽑히는 간접선거라는 것은 앞에서 얘기했지?

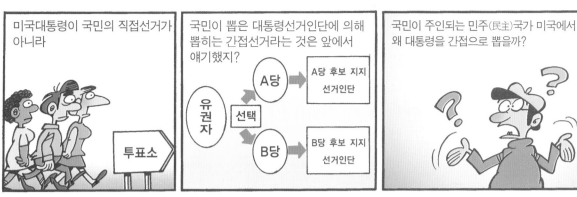

유권자 — 선택 — A당 → A당 후보 지지 선거인단
유권자 — 선택 — B당 → B당 후보 지지 선거인단

국민이 주인되는 민주(民主)국가 미국에서 왜 대통령을 간접으로 뽑을까?

그거야 나라가 너무 커서 투표를 하는 데 며칠씩 걸리고

동부와 알래스카는 4시간이나 차이가 나니까….

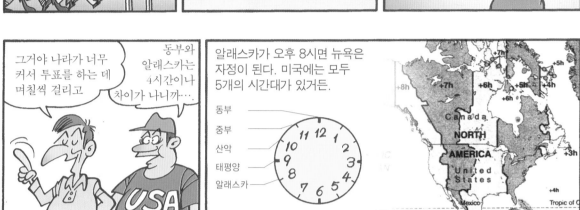

알래스카가 오후 8시면 뉴욕은 자정이 된다. 미국에는 모두 5개의 시간대가 있거든.

동부
중부
산악
태평양
알래스카

자연 직접선거를 동시에 하자면 투표시간에 문제가 생기게 되고

알래스카	오전 8시 – 오후 6시
캘리포니아	오전 9시 – 오후 7시
유타	오전 10시 – 오후 8시
시카고	오전 11시 – 오후 9시
뉴욕	정오 – 오후 10시

이건 모든 미국인에게 공평하지 못하거든. 그래서 간접선거 하는 거야.

그건 이유가 되지 않는다!

미국대통령 선거가 시작된 것은 지금 영토의 3분의 1에도 못 미치는 '작은' 나라였을 때였어.

그 넓이라면 시차도 없을 뿐더러 직접선거를 하려고만 하면 투표함을 수도로 가져와서 개표하면 되거든!

각 주 — 투표구 → 워싱턴 D.C.

그렇다면 왜 직접선거가 아닌 간접선거로 대통령을…?

아까 얘기하지 않았어?

군중들에게 권력을 주지 마라! 대통령 선거에 군중이 직접 참여해선 안 된다고 헌법의 아버지들은 생각했다.

권력
접근 금지

미국대통령 선거는 매 4년마다 11월 첫 화요일에 시행돼.

11월 첫째 주가 될 수도 있고 두 번째 주가 될 수도 있다.

火

November

그런데 여기에서 주의할 것은 그냥 첫 화요일이 아니라, 반드시 11월 첫 월요일이 낀 주의 화요일이란 거야.

그러니까 1일이 무슨 요일이냐에 따라 투표일이 달라진다.

즉, 11월 첫째 주가 월요일 이후에 시작되면 두 번째주 화요일이 된다는 얘기지.

19xx년 11월

일	월	화	수	목	금	토
			1	2	3	4	5
6	7	8	9	10	11	12

첫 월요일   대통령 선거일

이 원칙에 따라 2004년 대통령 선거는 11월 2일에, 2008년에는 11월 4일에 치러져.

2004년 11월

일	월	화	수	목	금	토
	1	2	3	4	5	6

2008년 11월

일	월	화	수	목	금	토
						1
2	3	4	5	6	7	8

여기에는 사연이 있어.

전국적으로 선거를 같은 날 치르긴 해야겠는데…

전국민과 각주가 받아들일 수 있는 날이어야겠죠?

맞아요. 전 미국 28개 주가 동시에 치를 수 있는 날을 고릅시다.* 여러 대표들이 말씀해보세요.

JAN.   JUL.
FEB.   AUG.
MAR.   SEP.
APR.   OCT.
MAY.
JUN.

* 1840년대 초 미국은 28개 주였음

우선 바쁜 농사철이 지난 다음에 선거를 합시다. 우리에겐 농사가 정치보다 중요해요.

맞아. 맞아. 농민이 대부분인 나라가 미국이니 가을걷이가 무엇보다 중요하지요.

하지만 너무 늦어지면 추워져요. 추워지기 전에 합시다.

추우면 투표하러 가기 힘들어지니까…

끄떡 끄떡

그러면 더 긴말할 것 없이 11월 초네. 좋습니까?

11월 초 좋습니다!

그렇다면 11월초, 어느 요일이 좋은가 말씀해보세요.

MONDAY
TUESDAY
WEDNESDAY
THURSDAY
FRIDAY
SATURDAY
SUNDAY

날짜를 아예 정해 버리면 어떨까요? 5일, 10일, 이렇게요.

그건 안 돼요. 그날이 일요일이면 안식일인데 교회 가야지…

* 취임선서하는 워싱턴

* Mount Vernon

* 루스벨트 3선 반대 배지

* 루스벨트 4선 선거 포스터

만약 미국의 대통령에게 무슨 일이 일어난다면?

암살 중병 탄핵 등 죽거나 집무수행을 할 수 없는 경우…

이때를 대비해 부통령이 있고, 즉각 그 권한을 이어받게 되는데

이 경우에는 한 가지 조건이 붙어.

"타인의 임기로 2년 이상 대통령직에 봉직한 사람은 1번 이상 대통령에 당선될 수 없다."

(수정헌법 22조)

이게 무슨 소리냐고? 예를 들어 설명해보자.

임기의 반 이상이 남았으면 4년 임기와 마찬가지로 본다는 뜻이야.

1963년 11월 제35대 대통령인 존 F. 케네디(JFK)가 암살되었다.

* 케네디 영결식

그런데 4년 임기 중 3년 가까이 지난 시점에 암살되어 부통령 린든 B. 존슨이 그 뒤를 이어 대통령이 되었을 땐 남은 임기가 2년이 안 되었어.

1961 1962 1963 1964 1965
남은 임기

JFK가 암살된 시점

이런 일이 1년 전에 일어났다면 존슨은 1964년 선거에 단 한 번만 출마할 수 있었겠지만

1961 1962 1963 1964 1965
남은 임기

이때 사건이 났다면?

남은 임기가 2년이 안 되었기 때문에 존슨은 1964년 선거에 출마하여 당선되었음은 물론

L.B. Johnson

수정헌법 22조에 의거, 1968년에 다시 대통령에 출마할 자격을 지니고 있었지.

1964 1965   1969   1973

또 한 번 하셔도 됩니다.

그러나 그는 미국의 월남전 개입 문제에 책임을 지고

베트남에서 죽은 미국 청년들이 지하에서 날 원망할 거야…

WHITE HOUSE 2424

1968년 선거에 출마하지 않을 것을 선언, 닉슨이 당선되어 정권은 공화당으로 넘어갔어.

Richard Nixon

미국대통령이 8년 이상 욕심내지 않는 전통은 FDR 때를 제외하고는 건국 이래 지켜져오는 셈이야.

내가 욕심을 너무 냈나?

Franklin Delano Roosevelt
1882~1945

미국의 대통령 선거제도는 다른 나라와 전혀 다른 독특한 방식으로 시행되고 있어.

의원내각제: 대통령 ← 의회 선출 / 실권 없는 국가원수
대통령 중심제: 대통령 ← 국민 직선 / 강력한 권한

대통령 중심제를 채택한 나라들은 거의 예외없이 직접선거로 대통령을 뽑는데

국민 여러분, 제게 한 표를 주십시오. 깨끗한 정치를….

권력의 최고 핵심인 대통령을 국민이 직접 뽑는다는 것은

국민이 국가 권력의 원천임을 증명하는 귀중한 주권행사인 셈이지.

국민 / 공직자

그러나 민주주의의 고향이라는 미국에 서는 간접선거로 대통령을 뽑아.

대통령 중심제인 국가에서는

거의 모두 직접 선거로 대통령을 뽑는데…

USA

즉 유권자들이 대통령 선거에 참여할 대리인을 뽑아서

이 대리인을 대통령의 '선거인' 이라고 하죠.

elector

이들이 워싱턴 D.C.에 모여 유권자 대신 대통령을 선출하는 제도야.

공화당후보 지지! 민주당후보 지지!

이 제도는 나라가 너무 크다 보니 투표에서 개표에 이르는 과정이 너무 길고

철도도 없고

전화도 없을 땐 몇 달씩 걸렸을지도….

최종결과가 나오기까지 많은 시간이 걸려서

투표결과 어떻게 됐대?

캘리포니아 대표가 도착할 때까지 두 달은 기다려야…

뜻밖의 문제가 터지는 것을 막기 위한 것이라고는 해.

투표결과 운송하다 인디언에게 다 뺏겼대요!

그러나 컴퓨터가 발달한 오늘날엔 불과 4시간 정도의 미국 내의 시간차는 얼마든지 극복할 수 있음에도

NETWORK

이런 간접선거 제도를 유지하는 것은 전통을 지키려는 의도만은 아니겠지.

200년이 넘는 전통을 바꿀 수 없다!

무엇보다도 대중이 권력에 직접 접근하는 것을 막겠다는

NO!

'헌법의 아버지들'의 정신을 그대로 지키고 있는 거야.

인민이라고

모두가 다 권력의 주인이 될 수는 없으니…

헌법

미국에서는 대통령 선거 자체가 하나의 커다란 쇼요, 이벤트로

빰빠바라 빠앙 쿵작 쿵작

대통령 선거가 끝나면 곧바로 4년뒤의 선거를 겨냥한 기나긴 정치 쇼가 시작돼.

○○후보 당선!

자, 다음엔 내가 도전해볼까?

각 당에서 대통령 후보, 부통령 후보를 결정하는 과정 자체가

지명

대통령 후보

지명

부통령 후보

대통령 선거나 다름없는 길고 험난한 경쟁과정이며

전세계의 이목을 집중시키는 대형 이벤트이거든.

MBC RAI NHK KBS BBC ARD A2 TF1

미국대선

각 당의 대통령 후보가 확정되면

공화

민주

Republicans   Democrates

드디어 전국적인 대통령 선거전에 돌입하고

* 선거유세를 하는 클린턴 전 대통령

선거가 있는 해 11월 첫 월요일이 낀 주의 화요일에 미국의 유권자들이 투표에 참여하는데

투표하러 가자.

이때 미국 유권자가 뽑는 사람은 대통령이 아니라

나는 A후보를 지지하니까

A당에 투표하면 되는 거야.

투표소

자기가 지지하는 대통령을 뽑겠다고 약속한 선거인(elector)인 거야.

A당의 선거인 명단

햄버거 마구머거
멀 체력부아
치근더크커리기
데킬라 원샷
치즈치즈햄

그런데 여기에 미국 대통령 선거제도에서 대단히 비민주적인 요소가 포함되어 있어. 그게 뭐냐고?

주의

'Unit Rule System(유닛 룰 시스템)' = 한쪽이 한 주의 선거인을 모두 장악하는 제도

UNIT RULE SYSTEM

우리 식으로 말하자면 '싹쓸이 제도'라는 기묘한 것인데

A당

민주당, 공화당 또는 그 어느 당이든 투표에서 단 1표라도 많은 당이

득표 수

B당 A당

그 주의 선거인을 모두 싹쓸이 차지하는 제도야.

선거인

A당 100%

B당

이 제도를 캘리포니아주의 예를 들어 설명해볼게.

캘리포니아 공화국

선거인 수 55명

CALIFORN MEPEBI

대통령 선거 때가 되면 각 당은 각각 55명의 선거인 후보명단을 공개해.

공화당	민주당
선거인 명단	선거인 명단
55명	55명

그 당은 이런 사람들을 보내 유권자를 대신하여 대통령을 뽑을 것이라는 약속이지.

선거인 명단

이들은 유권자들의 심부름꾼입니다!

투표날, 유권자들이 투표를 하고 개표 결과

예컨데 득표비율이 다음과 같다고 해보자.

A당 48% B당 51%

기타 1%

그러면 유권자의 뜻을 반영하여 선거인 수가 결정되는 것이 아니라

A당 55명 X 48% = 26.4
→ 26명

B당 55명 X 51% = 28.05
→ 28명

기타 당 → 1명

한 표라도 더 많이 받은 당이 캘리포니아 선거인 55명을 몽땅 차지하고 다른 당은 단 1명도 안 되는 거지.

A당 선거인 → 0명

B당 선거인 → 55명

Unit Rule System

그럼 이런 '황당한' 제도가 왜 생기게 되었을까?

All or Nothing
몽땅 아니면 꽝!

A당 B당

만약 득표 비율대로 각 주마다 선거인들이 정당별로 대통령선거에 가담한다면

55명의 선거인들은

A당 32명, B당 23명으로 섞여 있다.

이런 경우가 생길 수 있다.

A당의 선거인으로 참가했지만

난 B당 후보에게 투표하겠다.

즉 투표한 유권자의 기대를 저버리고 선거인이 개인적인 투표를 할 수 있고

우리 주가 보낸 A당 선거인은 10명인데

A후보 지지 표가 6표밖에 안 나왔다.

ARIZONA
A당 후보 6
B당 후보 4

한 주에서뿐 아니라 여러 주에서 이런 '배신행위'가 안 생긴다는 보장도 없으며

선거인 가운데 '반란표'가 나온 거야!

뒷거래로 지지 후보가 바뀌는 등

당신이 우리 당 후보를 지지해도

누가 그랬는지 알 수 없어요. 그러니…

유권자의 대리인인 선거인들을 개인적으로 믿기 어려운 까닭이야.

기껏 뽑았는데 우리가 지지하는 후보가 아닌 상대방에 투표하면 어떡해?

그래서 한 주의 선거인이 모두 같은 당 당원이며

우리는 A당 당원!

선거인

그들이 모두 한 정당 후보를 지지한다고 약속했기 때문에

반드시 A당 후보 찍는건 당근이죠!

투표결과 단 한 표라도 '반란표'가 나오게 되면

55명 선거인 뽑았는데

A후보 지지가 54표밖에 안 된다!

대번에 누군가가 배신했다는 사실이 드러나버리므로

쟤가 바로 배신자다!

선거인들이 딴마음 먹지 못하도록 '한 묶음'으로 처리하는 방식인 거야.

플로리다
A당 27표

하와이
B당 4표

오하이오
B당 20표

버지니아
A당 13표

81

미국대통령 선거 각 주 선거인 수(50개 주 + 워싱턴 D.C.)

주	선거인 수	주	선거인 수	주	선거인 수	주	선거인 수
앨라배마	9	켄터키	8	노스다코타	3	아이다호	4
알래스카	3	루이지애나	9	오하이오	20	일리노이	21
애리조나	10	메인	4	오클라호마	7	인디애나	11
아칸소	6	메릴랜드	10	오리건	7	아이오와	7
캘리포니아	55	매사추세츠	12	펜실베이니아	21	캔자스	6
콜로라도	9	미시간	17	로드아일랜드	4	뉴햄프셔	4
코네티컷	7	미네소타	10	사우스캐롤라이나	8	뉴저지	15
델라웨어	3	미시시피	6	사우스다코타	3	뉴멕시코	5
워싱턴 D.C.	3	미주리	11	테네시	11	뉴욕	31
플로리다	27	몬태나	3	텍사스	34	노스캐롤라이나	15
조지아	15	네브래스카	5	유타	5	버지니아	13
하와이	4	네바다	5	버몬트	3	워싱턴	11
웨스트버지니아	5	위스콘신	10	와이오밍	3		

실제로 인구가 3,400만 명이나 되는 캘리포니아주에서

캘리포니아

불과 10만 표 차이로 선거인 55명이 전원 공화당 독차지가 되는가 하면

민주당 지지한 천 수백만 명은…?

그게 다수결 원칙 민주주의 아냐?

인구 많은 11개 주에서 이기면 나머지 주에서 대패해도 당선될 수 있고

39개 주에서 패배하고 큰 주 11개에서 승리한…

A후보 당선!!

득표율이 50%를 훨씬 밑돌아도 당선될 수 있을 뿐더러

당선!

B당 후보 A당 후보

전국 득표율

B당 후보 A당 후보

지지 선거인 수

전국 득표수 총집계에서 다수를 얻고도

총득표 수

B당 후보

A당 후보

선거인 수에서 뒤져 낙선하는 경우가 지금까지 이미 4번이나 있었다고.

Unit Rule System

1824년 선거에서 앤드루 잭슨이

× 앤드루 잭슨
151,271표

○ 존 퀸시 애덤스
113,122표

1876년에는 새무얼 틸든 후보가 낙선했으며

× 새무얼 J. 틸든
4,288,546표

○ 러더포드 B. 헤이스
4,034,311표

1888년에도 클리블랜드가

× 그로버 클리블랜드
5,534,488표

○ 벤저민 해리슨
5,443,892표

2000년에는 앨 고어가 부시보다 더 많은 표를 얻고도 낙선했으니

× 앨버트 A. 고어
50,996,039표

○ 조지 W. 부시
50,456,141표

단 한 표라도 더 많은 지지를 얻는 쪽을 따른다는 다수결의 원칙이 민주주의의 기둥인데

A후보에 한 표 부탁합니다!

미국 민주주의의 모순은 여기에도 나타난다고 봐야지.

이게 바로…

대중을 권력에 접근하지 못하게 하는 증거!

대통령선거인을 뽑는 '대통령 선거'가 치러졌다고 끝난 건 아냐.

이제 끝!

아닌데….

투표함

이제 진짜 대통령 선거가 남아있거든.

헌법
제2조 제1항
… 선거인은 전 득표자의 명부를 작성하고 각 득표자의 득점을 기재하여 이에 서명하고 증명한 뒤 봉합하여 합중국 상원의장 앞으로 송부한다…

538명의 선거인들은 이미 누구를 뽑을지 공개하고 선발된 것이니까

A당지지! B당지지!

큰 이변이 없는 한 11월에 선출된 선거인 수로 어느 정당이 이겼는지 판가름나지.

이제 남은 건 형식적인 절차뿐이야.

부시 271명, 고어 266명 부시의 승리네.*

BUSH WINS!

* 2000년 대통령 선거인 수

그런데 선거전이 워낙 치열하고 팽팽한 나머지

두 당이 거의 비슷한 숫자의 선거인을 확보하거나

A후보 269명
B후보 269명

제3당, 제4당이 의외로 약진하여 선거인단을 얻게 된다면 어떡하지?

B당 A당
D당 C당

문제는 11월 선거에서 선출된 선거인들이 실제 대통령을 뽑는 12월 선거에서

12월
대통령선거

선거인단

두 후보의 득표수가 같거나 최다 득표자가 과반수를 얻지 못하면

당선 = 과반선 270표

A후보	267표
B후보	210표
C후보	45표
D후보	10표
E후보	6표

이제 대통령 선출의 권리는 하원으로 넘어가게 돼.

선거인   패스!   하원

대통령 선거

하원

어느 후보도 과반수를 얻지 못했으므로

이제 대통령 선거는 하원으로 넘어갑니다.

국민이 직접 뽑은 대표인 하원의원들의 투표로 대통령을 결정합니다!

유권자 → A당 선거인 / B당 선거인 → 하원

동수 또는 $\frac{1}{2}$ 미만

의회는 최다득표자 5명을 놓고 투표로 대통령을 선출하는데

만약 2명만 출마했으면?

그야 당연히 2명이지! 없는 후보를 만드니?

이때 역시 결판이 나지 않으면

하원의원 438명

당선=220표

A후보= 118표
B후보= 100표
C후보= 15표
D후보= 8표
E후보= 7표

전체 주에서 1표씩 행사하는 최종 결정으로 넘겨져.

다시 하원에서 투표합니다.

이번에는 50개 주가 1표씩 50표로 결정합니다.

전체 주의 3분의 2 이상이 참여한, 즉 34개 주 이상의 참여에

$50 ÷ \dfrac{2}{3} = 33.333... = 33$

$33 + 1 =$ 34개 주

정족이 채워졌으므로 대통령 선거를 시작합니다!

전체 주의 과반수, 즉 25개 주의 표를 얻은 후보가

A후보 26표
B후보 24표

최종 미국대통령 당선자가 되는 거야.

A후보가 미합중국 대통령으로 당선되었음을 선포합니다!

땅 땅 땅! 헉 헉 헉 헉

대통령선거에서 그 결판이 의회로까지 넘어간 적은

선거인단 선거

하원 투표

주대표 투표

미국 역사에서 단 두 번뿐이야.

1800년 선거에서 토머스 제퍼슨이 그랬고

	확보 선거인 수
토머스 제퍼슨	73명
아론 버*	73명
존 애덤스	65명
찰스 C. 픽크니	64명
존 제이	1명

* Aaron Burr

1824년 하원선거에서 존 퀸시 애덤스가 경쟁자인 앤드루 잭슨 후보에 뒤졌지만

앤드루 잭슨	99표
존 퀸시 애덤스	84표
윌리엄 H. 크로포드	41표
헨리 클레이	37표

잭슨의 선거인단이 과반수가 되지 못하여 최종선거에서 역전, 승리할 수 있었어.

잭슨 = 11주 지지 ★ 낙선

애덤스 = 12주 지지 ★ 당선
(애덤스 지지 6주 + 클레이 지지 6주) → 비밀협상

(당시 23개 주)

모든 가능성을 예측하여 법으로 정한 미국의 선거 시스템은 성공적으로 뿌리내렸다.

시스템은 완벽하지 않으면 의미가 없다.

그래서 미국대통령 선거과정을 지켜보노라면

자, 다음 대통령 선거에서 민주당은 누구를 후보로 내세울까?

예상후보들

아주 색다른 얘기들이 자주 나오고 이를 언론에서 크게 보도하는데

전당대회　예비선거　코커스　슈퍼화요일

이것을 제대로 알고 있어야만 '미국대통령 선거' 라는 게임을 재미있게 지켜볼 수 있지.

미국대통령 선거게임 100배 즐기기

지금까지 설명한 것은 여러 정당의 후보들 중 대통령을 뽑는 제도이고

A당 후보　　무소속 후보　　B당 후보

대통령이 되기 위해서는 먼저 대통령 후보로 지명되어야 하는데

와　와　와

WE ♥ MUSH

대통령 후보가 되는 길이 대통령 되는 것만큼 힘들고 험난해.

대통령 선거가 끝나기 무섭게 다음 선거에 대비하여

내가 다음 대통령 후보!

백악관에 입성하고픈 야심을 가진 정치가는

당선

출발!

모든 것을 총동원하여 수많은 경쟁자들과 함께 대통령 후보가 되기 위한 치열한 싸움을 시작해야 하지.

초반 레이스가 중요하다!

부지런히 TV, 신문, 라디오에 이름을 올리기 위해

불우이웃돕기 운동과 전쟁으로 고통받는 어린이를 위해 저는…

JOHN STONE

각종 행사와 토론회에 참여해야 하며

이라크에 관한 저의 견해는 다릅니다.

JOHN STONE　PETER MILES　ED LIPTON

유권자들에게 자신을 알리고 기억시키는 데 총력을 기울여야 해.

상원의원 JOHNS 미혼모 돕기 자선바자회

대통령 선거 2년 뒤에 실시되는 하원의원 선거가 끝나면서

대통령 선거
중간선거
2년 2년
하원의원 선거
상원의원 1/3 선거

다음 대통령 선거를 2년 앞둔 시점부터 후보지명을 위한 경쟁은 불꽃을 튀기지.

Nomination
후보지명

이때에는 수많은 거물 정치인들이 대통령 후보로 떠오르고

• 경력
• 학력
• 가문
• 경제력
• 사생활
• 청렴도
• 평판
• 인지도…

수도 없이 많은 여론조사가 실시되어

존 케리 상원의원이 가장 앞서고 있습니다.

JK EM SM TL

'이길 수 있는 후보' 감이 누구인가에 대해 철저한 저울질을 하게 돼.

어떤 후보가 경쟁력 있는가?

누가 상대당 후보를 꺾을 수 있나?

각 당의 대통령과 부통령 후보는 4년에 한 번씩 열리는 전당대회에서 지명되는데

National Convention
전국 당대회

쿵작 쿵작

각 당의 전당대회야말로 대통령 후보를 지명하는 당의 행사임에 불구하고

대통령 후보에

…가 지명 되었습니다!

마치 대통령 선거와 같은 형식과 절차를 갖추고 있는 것이 아주 흥미로워.

전당대회

대통령 선거

각 정당이 개최하는 전당대회 역시 당원이 직접 대통령 후보를 뽑는 게 아니라

유권자 ✕ 대통령

당원 ✕ 대통령 후보

각 주에서 대의원이 선정되어

대통령 후보 선출

대통령 선출

대의원

선거인

이 대의원들이 한데 모여 대통령, 부통령 후보를 결정하는

전당대회

전당대회

공화당

민주당

간접선거 형식을 대통령 선거와 똑같이 채택하고 있어.

완전히 대통령 선거 축소판이네!

총 득표수가 더 많은데도 선거인 수가 적어 대통령선거에서 낙선하는 경우처럼

URS

일반 국민이나 당원들에게 절대적인 인기를 누리고 있는 정치인이라도

유권자 인기조사 1위

S후보

전당대회에서 지명을 받지 못하면 대통령 후보가 될 수 없고

후보에 B !

전당대회에서 지명을 받으려면 유권자나 당원들의 인기가 중요한 게 아니라

유권자
당원
민심

자신을 지지해줄 전당대회 대의원을 한 명이라도 더 확보해야 해.

대의원

그러니까 대통령 후보지명을 위한 운동은 곧 전당대회 대의원 수를 늘리기 위한 경쟁이지.

자연 대통령 후보가 되는 지름길은 실력이나 덕망이 있기보다는

덕망
실력
비전
인품

조직력이 강하고 많은 자금을 동원하여

자네 계파가 나를 좀 밀어주게!

$

여러 계파를 거느린 지도자가 되는 것이 중요했어.

계파지도자
후보

계 파 인 맥

정당의 계파 지도자들을 보스(Boss)라 불러.

'보스'면 두목? 마피아 조직인가?

조직을 이끈다는 점에서 정치가와 마피아의 공통점이 있긴 해….

보스의 조직은 막대한 정치자금과 인맥으로 기계처럼 정밀한 선거전략을 수행해서

외부인맥	보스	자금책

계	파	보	스

머신(Machine: 기계)이라고도 불렸지.

저 후보는 탱크 같은 머신을 가지고 있다.

A후보 머신

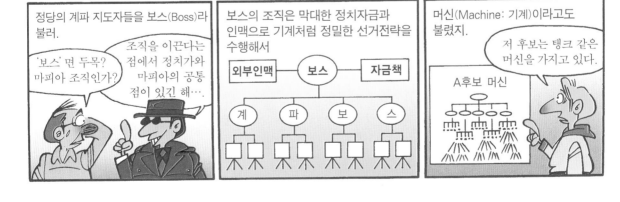

대통령 후보가 되기 위해 넘어야 할 여러 고비 가운데

50개 주의 예비선거를 치러야 한다…

첫 고비가 바로 뉴햄프셔주의 예비선거이지.

제1관문

뉴햄프셔주 예비선거

미국 북동부 끝인 메인주 아래 자리잡은 뉴햄프셔주는 24,000km²의 조그만 주로

인구 1,236,000명

캐나다
버몬트주
메인주
대서양
뉴욕주
매사추세츠주
New Hampshire

수도는 콩코드*이며 독립선언에 가담했던 미국 최초의 13개 주 가운데 하나야.

우리는 독립선언 6개월 전인 1776년 1월에 처음으로 독립을 선언했어!

콩 코 드
독립전쟁 첫 전투가 벌어진 곳

* Concord

'뉴햄프셔' 란 주 이름은 물론 영국의 남쪽 도시 '햄프셔' 에서 비롯된 것이지.

꼬꼬댁

닭 종자도…

러일전쟁의 강화조약인 '포츠머스 조약(1905)' 이 체결된 장소 포츠머스가 이 주에 있기도 하고.

포틀랜드
콩코드
대서양
맨체스터
포츠머스 Portsmouth
보스턴

이 뉴햄프셔주가 미국 정치에 중요한 역할을 하는 것은 미국 정당들의 첫 예비선거가 이곳에서 시행되기 때문이야.

첫 예비선거

뉴햄프셔는 땅이 넓은 데 비해 동부치고는 인구가 적어서

너무 적다
적당
321명/Km²
너무 많다
15.9명
53.2명
155.2명/Km²
메인주
뉴햄프셔주
매사추세츠주
뉴욕주

동북부 4주 인구밀도

주민 개개인을 상대로 선거운동이 가능한 곳이라서

케리 라이스 후보입니다. 지지 부탁합니다.

수고하세요.

이곳의 예비선거 결과에 따라 대통령 후보에 대한 여론에 큰 영향을 주게 된다고.

뉴햄프셔주 예비선거 결과		
A후보	B후보	C후보
42%	37%	21%

감 잡았다!

말하자면 이후 대통령 후보가 누가 될 것인지를 판가름할 수 있는 풍향계이자

미국대통령 선거전이 그 대장정을 시작하는 출발점이기도 해.

뉴햄프셔

92

그러나 미국대통령 예비선거의 가장 큰 갈림길은 바로 이른바 '슈퍼화요일' 이야.

SUPER TUESDAY

민주당의 경우, 대통령 후보로 지명되려면

The Democratic Nominee

A New Voice for a New America

전당대회에 참가하는 전체 대의원의 반 이상을 확보해야 해.

전당대회 참가 대의원

대통령 선거도 마찬가지!

지지표

$\frac{1}{2}$ $\frac{1}{2}$ + 1표 이상

*1992년 대통령 · 부통령 지명자: 클린턴 · 고어

전당대회 참가 대의원은 각 주의 대표들 (Delegates)로

대통령 선거
선거인
Electors

전당대회
대의원
Delegates

각 주의 대표 수는 인구에 비례하여 결정되는데

하원의원 숫자도 인구에 비례하죠?

하원의원 수

대의원 수

주 인구

주 인구

민주당 전당대회에 참가하는 각 주의 대의원은 모두 4,322명이야.

하원의원 수의 10배쯤 되네.

모여서 쇼하려면 청중이 많아야지.

와 와 와 와

그러니까 미국 전역에서 모인 4,322명의 과반수 이상, 요컨대 2,161명 이상의 대의원 지지를 얻어야 대통령 후보에 지명될 수 있지.

양당의 대의원 수 일람표(1996년)

차례	주명	공화당	민주당
1	캘리포니아	163명	423명
2	뉴 욕	102	289
3	텍사스	123	229
4	펜실베이니아	73	195
5	일리노이	69	194
6	플로리다	98	177
7	오하이오	67	172
8	뉴저지	48	120
9	매사추세츠	37	115
10	미시간	58	98
합계	50주 · 준주 · DC	1,984명	4,295명

※차례는 민주당 대의원 수에 따른 것임.

슈퍼화요일은 대통령 선거가 있는 해의 3월 첫 화요일로

Presidential Year
대통령 선거의 해

대통령 선거도 화요일인데…. 뭐든지 따라하네!

이날 무려 370명의 대의원을 선출하는 캘리포니아주를 비롯하여

한국계도 뽑아라!

라틴계 표심이 제일 큰 작용을 한다!

와글와글

캘리포니아주

236명의 대의원을 뽑는 뉴욕주 등

여기도 대의원 수가 장난 아니지?

유대인들의 저력을 보여주랴?

와글

와글

뉴욕주

여러 개의 굵직한 주들이 동시에 대의원을 선출하거든!

캘리포니아주
뉴욕주
코네티컷주
조지아주
메릴랜드주
미네소타주

슈퍼화요일에 대의원 선출하는 주

슈퍼화요일의 결과에 따라 누가 대통령 후보가 되느냐 대세가 기울어져

큰 이변이 없는 한 대통령 후보로 확정되었다고 봐야 해.

그러니 슈퍼화요일을 향한 후보 지원자들의 경쟁이 불꽃을 튀길 수밖에….

그러나 예비선거의 문제점도 적지 않아.

NATIONAL CONVENTION

미국정치가 깨끗하다고는 하지만 돈 없이는 안 되는 게 미국정치이고

공화당 선거 자금 모금 파티

모든 것을 돈으로 해결할 수 있는 곳이 미국인데 정치에 돈이 끼어들지 않는다면 말이 되겠어?

이게 최고의 무기다!

수없이 많은 예비선거를 치르는 동안

엄청난 돈이 들어가는 것은 물론이고

전국을 돌아다니며 예비선거운동을 해야 하는데

먹고, 자고 이게 모두 돈이지!

대통령 선거도 아닌 후보지명을 위해 수많은 경쟁자가 천문학적인 돈을 써.

미국에선 돈 없으면 정치할 생각도 못하겠네.

돼지저금통으로 대통령됐다는 말은 못 들어봤어.

그 낭비가 이만저만이 아닌데다가

조용히 후보 뽑으면 될 걸 꼭 저 난리 피워야 하나?

저게 바로 선거운동 그 자체니까….

선거운동이 날로 격화되고, 금권이 난무하는 등 폐단이 많아서

예비선거가 주에 따라 차츰 사라지는 경향도 보이고 있어.

우리 주는 예비선거 없이 주 당원대회에서 대의원 뽑겠다!

예비선거

자, 그 험난한 경쟁을 뚫고 당의 공식 대통령 후보가 되었는데 필요한 대의원 수를 확보하였다면

2,148명 확보!

이제 마지막 관문이 남아 있다. 전당대회!(전국당대회)

National Convention Democrates

이 대회에서 공식적으로 대통령 후보와 부통령 후보가 지명되니까.

*선거유세 중인 클린턴(1992)

전당대회는 민주당, 공화당 모두 큰 축제처럼 치러진다.

이 대회에는 미국 50개 주 대의원뿐 아니라 주가 아닌 준주(準州: 미국의 영토)에서 일정 수의 대의원을 보내기도 한다.

푸에르토리코 대의원

버진 아일랜드 대표

괌 대표

사모아 대표

PUERO RICO   VIRGIN ISLAND   GUAM   US SAMOA

대회 중에도 뒷거래나 흥정이 최후의 순간까지 계속되다가

나를 지지하는 대가로 뭘 원하시오?

잘 아시면서….

드디어 마지막 지명의 순간이 오면

자, 자, 신사숙녀 여러분!

National Convention

지금부터 A,B,C 순으로 주의 이름을 부르겠습니다. 각 주의 대의원들은 지지하는 후보자의 이름을 큰 소리로 외쳐주십시오!

사회자는 대통령 후보 경쟁자들을 차례로 소개하고

캘리포니아주 상원의원 리이엄 버그!!

뉴욕 주지사 케리 라이스!!

텍사스주 상원의원 우언비니!!

플로리다주 사업가 망고뗑고!!

매사추세츠주 상원의원 척 아라드러!

와   와

그러나 그런 것은 그다지 크게 신경 쓸 것 없어. 어차피 미국은 모순투성이 나라니까….

미국인들이 이상으로 꿈꾸는 것과 실제 행동이 어긋나는 경우는 적지 않아.

평등과 기회의 나라라는 미국에서의 인종차별과 제한된 기회.

성경
욕망

종교의 자유를 보호하고, 국교를 인정하지 아니하며, 모든 종교를 인정한다는 나라에서

알라~!
예수그리스도~!
유세차~!
야훼! 시바~!
나무아미타불

모든 이에게 종교의 자유를 보장한다!

USA

대통령이 취임할 때 기독교 경전인 성경 위에 손을 얹고 선서를 한다든지

나는 헌법을 준수하며

모든 미국인이 사용하는 돈에도 "우리는 하느님을 믿는다"라고 새겨져 있는 것을 보면 말이야.

여기서 얘기하는 하느님은 결코 이슬람이나 유대교의 신이 아니라

달러에 쓰인 '신'은 알라신인가?

돈 만든 백인이 알라신 섬기는 거 봤냐?

바로 기독교의 신을 의미하고 있음은 두말하면 잔소리지.

Oh, my god!
= 하나님 아버지
= 예수 그리스도의 아버지
= 기독교의 신

시민민주주의의 나라, 국민이 주인이 되는 나라로 출발했던 미국이지만

국민의 나라, 국민이 주인인 나라!

나라를 움직이는 핵심권력에는 대중이 가급적 접근 못하도록 했던 헌법제정 당시의 정신은

어중이 떠중이 다 몰려오면 안 된다!

권력
접근금지

간접선거, 싹쓸이 선거인단 제도 등에서 아직까지 남아 있음을 알 수 있으니

We are the people!
우리가 국민이다!

미국인은 모두 주민(住民)임에는 분명하지만 주인(主人)은 일부 상류층인 것은 아닐까?

맞다!

그러나 '주민'과 '주인'은 다르지!

하나의 정부, 50개의 나라

미국의 연방(Federal)과 주(State)

이 세상에서 선진국 가운데 가장 대조되는 나라는 바로 미국과 스위스일 거야.

미국의 국토는 스위스의 230배나 되며

9,629,091km²
세계 4번째

41,284km²
미니형 국가

인구는 40배 가까이 차이가 나.

2억 8,760만 명

728만 명

* 2003년 말 현재

국토가 그렇게 방대한데도 미국은 영어를 유일한 국어로 쓰는 나라인데

English only!

그 작은 스위스에는 네 가지의 국어가 사용되고 있어.

Schweiz   Svizzera
Suisse   Svizra

미국의 동부와 서부에서는 시간 차이가 세 시간이나 나는데도 비슷한 음식을 먹고 비슷한 집에서 살지만,

1시

햄버거
피자
콜라

4시

LA   뉴욕

불과 두 시간이면 자동차로 동서를 가로 지를 수 있는 스위스에서는 각 지역마다 서로 판이한 문화를 지니고 있지.

퐁뒤
크라상

소시지
감자

서   동
← 두 시간 거리 →

이렇게 너무나 다른 두 나라지만

이상한 사람들이야.

USA   CH

딱 두 가지만 공통점을 들라면

하나는 자기 나라에 대한 자부심이고

나는 아메리카인, 아메리카는 무조건 최고!

나는 스위스인, 내 국적은 억만금과도 안 바꾼다!

또 하나는 여러 '나라'가 합쳐진

주 주 주
주 주 주 주
주 주 주 주
주 주 주 주
주 주 주
주

칸톤 칸톤
칸톤 칸 칸
칸 칸톤 칸톤 칸톤
칸 칸톤 칸톤 칸톤
칸톤 칸톤 칸톤

연방제를 채택하고 있다는 거지.

United States of America
아메리카합중국

Confederatio Helvetica
헬베티카동맹

연방제

도이칠란트도 2차 대전 뒤 1949년 '도이치연방공화국' 으로 태어났고

도이치연방 공화국
Bundesrepublik
Deutschland

러시아도 '러시아공화국' 에서 1992년 '러시아연방' 으로 나라 이름을 고쳤어.

Russian
Federation

Rossiyska
Federatsiya

로씨스카야
페데라치야

미국 북쪽에 있는 캐나다도 연방제 입헌군주국이야.

10개 주＋2개 준주

영국왕은 이름만 캐나다의 왕이죠.

남아메리카 대륙의 브라질도 연방 국가이고

브라질연방공화국
Federative Republic
of Brazil

그 옆의 아르헨티나도 연방국가지.

아르헨티나공화국
(연방제)

재미있는 것은 '영국연방' 인데, 영국 자체는 연방국가가 아닌

대브리튼연합왕국과
북아일랜드

The United Kingdom
of Great Britain
and Northern Ireland

영국의 식민지였던 오스트레일리아, 캐나다 등 54개 국가들이 연방을 이루고 있고

과거 영 국 의 식 민 지 들
영국

이 연방에는 '커먼웰스' 라는 말을 쓰는 것이 특징이지.

국가는 아닙니다!

Commonwealth
of Nations

서로간에 친목을 도모하고 경제, 군사들의 협력을 하는 국가간 친목단체, 클럽 성격이 짙지만

영국이 그 주도적인 역할을 하고 있을 뿐이야.

캐나다는 독립국이지만

국가원수는 형식적으로 영국 여왕을 모시지.

그러니까 연방제란 서로 다른 성격과 특징을 가진 여러 지역이 한 나라를 이루어 살되

동부 사람들 밥맛이야.

서부 사람은 경박해.

서로간에 간섭하지 않고 그 지역의 특성과 권리를 최대한 보장해준다는 것을 핵심으로 하고 있어.

그래도 우리는 같은 미국인!

이런 점에서 가장 오래된 연방국가는 바로 스위스야.

스위스는 1293년 4개의 주가 '영원한 동맹'을 맺은 것을 계기로 하여

26개의 칸톤(주)이 완전한 주권을 누리며 지내왔지.

세금 거둘 권리

군대 갖는 권리

모두 칸톤의 독자적인 권리!

칸톤

그러니까 스위스는 26개 주라는 미니국가들의 동맹체로 중앙정부 자체가 없었어.

Schweizerische Eidgenossenschaft*
스위스동맹

그런 거 있으면 간섭하려 든다!

그러나 나폴레옹 전쟁 때 프랑스에 점령되고

중립 좋아하네!

영구중립원칙에도 불구하고 강요에 못 이겨 러시아에 출병하는 등

맞고 보낼래, 그냥 보낼래?

안…맞고 보내는 게 덜… 아프겠죠?

* 슈바이처리쉐 아이트게노센샤프트

칸톤들간 조직적으로 통합된 힘이 없어 겪는 심각한 문제점을 깨닫고

꼬마의 서러움이 이런 거군!

뭔가 힘을 한데 모으는

조직이 있어야 겠다!

칸톤   칸톤   칸톤

1848년 26개 주를 하나로 묶는 최초의 중앙정부를 세움으로써 비로소 하나의 나라를 이룬 거야.

1848

그러나 중앙정부의 권리는 극히 제한되어 있어서

간섭은 꿈도 꾸지 마!

그저 심부름꾼인 게야!

중앙정부

외국과 조약을 맺는 등의 외교권과

군대를 통솔하는 국방권,

화폐, 도량형 통일과 도로 건설 등의 사회 간접자본 같은, 전체 스위스와 관련된 일만을 다룰 수 있지.

A칸톤   B칸톤   C칸톤

고속도로건설

D칸톤

E칸톤

자연 스위스의 경우 중앙정부의 기능은 칸톤(주)들간의 연결과 조정, 국가 전체에 관한 '조절의 역할'이지만

중앙정부

칸톤

다른 연방제 국가들의 경우엔 중앙정부의 역할이 절대적으로 커서 국가의 모든 문제를 다루고 있는데

중앙정부

주정부

미국의 경우도 워싱턴 D.C.의 중앙정부의 역할은 미국뿐 아니라 전세계의 중심지라고 할 만큼 막강해.

연방정부

미국에서 미국 전체를 일컫는 말이 '내이션(Nation)'이고

NATION

내셔널 = 미국 전체의

'스테이트(State)'는 주를 일컫지.

STATE

앨라배마주   텍사스주   테네시주   뉴멕시코주

또 '연방'이 들어간 말은 바로 미국 전체를 일컫는 것이야.

연방(聯邦) : Federal

연방정부
연방법원
연방군   미국 전체
연방법
...

미국에서는 연방정부, 즉 중앙정부를 '행정부'라고 부르고

The Administration

행정부(行政府)

당시의 대통령 이름을 따서 불러.

Kennedy Administration   Reagan Administration

캐네디 정부   레이건 정부

이건 우리나라와도 비슷하지?

박정희 정권   김대중 정권   노무현 정권

1961 ~ 1979   1998 ~ 2003   2003

미국은 여러 주가 합쳐진 나라이니 '합주국'이 더 정확하지만

United States   合州國

여러 주가 합쳐진 나라

주 주 주 주 주 주

50개의 주가 각각 하나의 나라처럼 독자성이 강하니까

주정부
주의회
주법원
주헌법

'여러 개의 나라가 합쳐진 나라'라는 의미로 아메리카합중국이라고 번역해.

아메리카

合衆   國
여럿이 합쳐진   나라

合   衆國
합침   여러 나라들

미국은 나라가 태어날 때부터 연방정부와 각 주와의 갈등이 극심했어.

괴물이 태어나는 거 아냐?

연방정부

영국을 몰아내고 독립을 쟁취하기 위해서 어쩔 수 없이 13개의 주가 동맹하였지만

영국

13주 동맹

이들은 과거 영국의 지배를 받았을 뿐 이웃 주와 별다른 관련을 맺고 있었던 것은 아니야.

뉴욕
뉴저지

그런데 막상 독립을 쟁취하고 나자 중앙정부를 세우기는 해야겠는데

오합지졸로 갈라져 있으면 언제 또 영국에게 먹힐지…

내 말이 바로 그 말이야!

새 중앙정부의 세력이 강해져 각 주의 자주성, 독립성을 억누르고

늑대 몰아내니 호랑이가 나타났다!

중앙정부

힘을 바탕으로 복종을 강요하게 될까 봐 크게 염려가 되었겠지.

게다가 대통령 등 핵심 권력자들이 자신의 출신 주를 다른 주보다 크게 밀어준다면

팔은 안으로 굽게 마련이야….

영국의 지배를 받을 때보다 훨씬 큰 불이익을 당하게 될 수도 있었어.

대통령은 왜 자기 출신 지역만 감싸고 도는 거냐?

그래서 미국은 나라가 태어날 때부터 크게 두 파로 갈라지고 말았지.

연방주의자 Federalist

반연방주의자 Anti-Federalist

강한 연방

주의 독립

연방주의자들의 중앙정부 건설 주장에

연방정부가 힘을 갖지 못하면

미국이란 나라는 필시 깨지고 만다!

반연방주의자들은 극력반대했지.

강력한 연방 정부의 등장은

우리가 싸워 얻은 독립과 자유를 말살하는 것이다!

하나의 나라, 강력한 연방 정부 건설!

하나의 나라, 그러나 각 주의 자유와 주권!

연방주의자들과 반연방주의자들의 반목과 갈등이 바로 미국 정당의 출발이었다.

연방 주의자 / 반연방 주의자 → 정당 / 정당

강력한 중앙정부를 지향하는 권력 집중주의의 연방주의자들 중심에는 알렉산더 해밀턴이

Alexander Hamilton 1755?~1804

주의 독립과 자유를 존중하는 지방 분권주의의 반연방주의자들의 중심에는 토머스 제퍼슨이 자리잡고 있었지.

Thomas Jefferson 1743~1826

미국의 '헌법의 아버지'들이 헌법을 제정할 때

이 문제로 가장 골치를 썩었어.

강력한 중앙정부여야 하나….

주의 독립과 자유가 더 중요한가….

'헌법의 아버지'들은 고민 끝에 대타협을 이루는 데 성공했지.

모두가 한 걸음씩 양보하여

모두가 승리하는 헌법을 만듭시다.

WIN-WIN

헌법제정의 기본원칙은 분명합니다.

이미 각 주가 가지고 있는 주권을 전혀 해치지 않고는

각 주 의

주권 주권 주권

새로 만들려는 연합국가의 주권을 성립시키는 것이 불가능하다는 점.

각 주 의

주권 주권 주권

연합국가의 주권

지방정부든 연방정부든, 정부를 만드는 가장 주요한 목적은

연방 정부 / 주 정부

모든 시민의 입장에서 모든 시민을 위해 일해야 한다는 점.

연방정부 / 주정부

그러니까 각 주는 권한의 일부를 연방정부에 넘겨주되

이러한 주고받는 행위는 권력다툼이 아닌 국민에 대한 봉사여야 합니다!

제4대 미국대통령 제임스 매디슨은 다음처럼 말했다.

James Madison
1751~1836

중요한 것은…

하나의 세력이 전체적인 다수파가 되지 못하게 하는 것이다.

이를 위해서는 각 주에 가능한 한 많은 권력을 남겨놓아야 하며

중앙정부는 모든 국민의 입장과 당파를 대표해야 한다.

특정 세력을 위한 것이 아니라

모든 세력, 계층을 위한 정부

지방에 너무 큰 권력을 부여한다면 지방정부는 중앙정부를 곤경에 빠뜨릴 것이다.

그렇다고 중앙정부에 반항적인 주에 폭력을 행사할 권력을 준다면

반드시 내란이 일어날 것이다.

우지끈

결국 주의 권력과 국가 권력 사이에 균형을 잡아야 한다.

국가 권력   주의 권력

즉 중앙정부는 주정부를 위압하면 안 되고, 또 경쟁상대가 되어서도 안 된다.

중앙 정부   주정부

주와 국가는 모두 미국 시민을 보호하기 위해 존재해야 한다.

주   국가

매디슨의 말은 미국의 기본 정신이 되는 '견제와 균형'을 의미하는 것이며

권   력

미국의 연방과 주들이 적절한 견제와 균형을 통하여 안정된 국가를 이루어야 한다는 뜻이지.

Check & ♩ ♪ balance

중 앙   주
정 부   정 부

USA

107

앞에서 설명한 것과 같은 견제와 균형을 연방(중앙정부)과 주는 어떻게 잡아나가는가?

미국에는 연방헌법이 있고, 각 주에도 주헌법이 있지만

연방헌법
Constitution
of
the United
States
of America

주헌법
State
Constitution
Texas

연방헌법은 모든 주의 헌법 위에 있음을 분명히 하고 있어.

연방헌법

주헌법

1788년 제정된 연방헌법은 7개조로 되어 있으며

THE CONSTITUTION OF THE
UNITED STATES OF AMERICA

ARTICLE ON
SECTION ONE

All legislative powers herein
granted shall be vested in a
Congress of the

26개의 수정조항으로 되어 있는데

수정조항
= Amendment
이를 권리장전
(權利章典)
= Bill of Rights
라고도 하고

수정헌법이라고도 하지요.

주의 자주와 독립을 강화하기 위해 토머스 제퍼슨의 요구로 첫 부분이 이루어졌어.

국민의 자유와 권리를 보장하기 위해!

헌법

수정헌법

미국의 역사는 연방이 생기기 전에 이미 각 주가 있었고

주

그 13개 주가 연합하여 연방이 태어난 만큼

연방

따라서 모든 권리는 주에서 연방에 위탁(delegate)되어 연방권이 생겼고

주 위탁 연방 위탁 주

연방권 밖의 모든 권리는 헌법에 명시되지 않는 한 주에 속하게 되어 있지.

이건 우리 꺼!

주
STATE

즉 주에 두면 연방이 무너질지 모르는 위험한 권리는

합중국헌법, 즉 연방헌법에 분명히 주의 권리가 아니라고 명시돼 있다고.

연방헌법

108

미국이 워낙 땅이 큰 나라이고 지역마다 특색과 발전 과정이 다른 만큼

서부

동부

각 주, 지역의 필요에 따라 다른 곳에는 없는 법을 만들기도, 없애기도 하는데

○○주 법

××주 법

△△주 법

○○주

××주

△△주

그 중에는 시민이나 경찰들도 듣도 보도 못한 기묘한 법들이 아직까지 엄연히 존재하지.

이런 법이 있는 줄 아십니까?

엥? 난생처음 들어보는데?

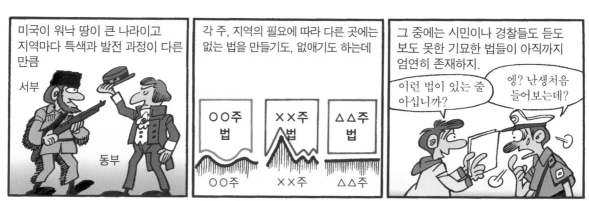

이것은 각 주와 자치단체의 독립성이 법에도 나타난 것으로

우리는 자유, 독립국가이다!

주 STATE

헌법에 명시되지 않은 권리는 모두 주에 속한다는 증거이기도 해.

하루에 세 번 이상 방귀 뀌면 안 된단 법은요?

당연히 원하면 만들 권리가 있지!

영국의 《FACE》란 잡지에서 전미국 주들의 법들을 뒤져본 결과

FACE

STATE LAW

진기한 미국의 법들을 모아 발표 하였는데 아주 재미있는 것들이 많아. 한번 살펴볼래?

미국엔 이런 법도

• 쥐덫은 오직 사냥 면허증을 가진 사람만 놓을 수 있다. (캘리포니아주)

면허증 좀 봅시다.

아마 쥐가 극성을 부려 엉터리 쥐덫으로 피해가 늘자 만든 임시 법이었겠지?

누구야?! 이렇게 엉터리로 쥐덫을 놓은 게…

• 낙타를 타고 고속도로에 나오면 안 된다. (네바다주)

NO Camels

요즘에 낙타 타고 다니는 사람이 어디 있어? 한때 낙타 타는 게 유행 이었던 게지.

빵바 빵

• 콧수염 기른 남자는 여자에게 키스하면 안 된다. (유레카시)

벌금!

연방과 주에서 보듯 미국은 잘 조화된 견제와 균형의 사회라고 할 수 있어.

견제와 균형

= Check & Balance

권 력

대통령과 의회가 견제와 균형을 이루고 있고

거부권, 국회 해산권

청문회, 임명동의 거부권, 대통령 탄핵권

정부 의회

정치에도 양대 정당이 서로를 견제하며 균형을 유지하는가 하면

어느 한 정당이 장기 집권해도 안 되며

정부와 의회를 한 당이 독식해도 안 된다!

야당 여당

심지어 정보기관조차 견제와 균형의 원칙이 적용되고 있다고.

FBI
연방수사국

CIA
중앙정보부

중앙정부, 즉 연방정부의 고유 권한이 국방, 외교, 경제라고 했지?

국방 외교 경제

중앙정부

특히 군대를 보유, 지휘하는 미국군 통수권은 미합중국 대통령의 권한이야.

이라크를 공격 하시오. 대통령의 명령이오!

그럼 연방만이 군대를 보유한다면

각 주 스스로는 연방만 믿고 전혀 군대를 보유해서는 안 되는 걸까?

주

분명히 연방군대가 끼어들 수 없는 주 자체만의 문제로 힘을 필요로 할 경우가 있지.

군대 파견이 필요합니다.

이거 당신네 집안 문제라 연방군은 곤란하오.

주정부 # 연방정부

주 스스로의 방어를 위해 힘이 필요할 경우가 없으라는 보장이 어디 있겠어?

LA에서 흑인 폭동이 일어 났습니다!

막아야 하는데 캘리포니아주 문제라서…

LA

그래서 미국 각 주의 치안을 유지하기 위한 군사조직이 존재하는데

산불이 계속 번져

소방, 경찰 힘만으로는 어려워요!

이는 미연방군과 다른 주방위군이라는 군사조직, 즉 군대야.

미연방군
US Military

주방위군(州防衛軍)
National Guard

미국 최초의 깃발은 1775년 12월에 태어났어.

1775년 이전에는?

당연히 영국의 깃발이었지. 영국 땅이니까!

이 기는 당시 영국의 깃발에 식민지 13개 주를 상징하는 붉고 흰 줄이 그어진 것으로

Union Jack + 식민지 13개 주

'대연합기' 라는 이 깃발이 채택된 것 자체가 이미 독립의 불길이 타오르고 있었다는 증거 아니겠어?

1775. 12.

The Grand Union Flag

독립선언이 있고 독립전쟁이 터지자 1777년 6월 14일, 미국 깃발에서 영국의 국기인 '유니언 잭' 이 사라지고

대신 13개 주를 상징하는 13개의 별이 푸른 바탕에 자리잡았는데

이 깃발이 바로 최초의 성조기였지.

The First Stars and Stripes

1777. 6. 14.

1795년 두 개의 주가 새로 연방에 가입해 별도, 붉고 흰 줄도 15개로 되었다가

The Flag of 1795

1818년에는 새로 늘어난 5개 주를 합쳐 모두 20개 주가 되어 별이 20개로 바뀌었어.

The Flag of 1818

그 뒤 주가 늘어날 때마다 별의 숫자가 계속 바뀌었는데

1959년에 하와이가 50번째 주로 연방에 가입하면서 오늘날의 미국 국기인 성조기가 탄생하였지.

남북전쟁 당시, 남부에서는 북부와 뭉쳐 싸운 13개 주를 상징하는 기를 사용하였고

The Stars and Bars

전쟁에서도 남부군기, 즉 '동맹군 전투기' 를 사용했는데, 남부에선 지금도 거는 곳이 있다는군.

The Confederate Battle Flag

성조기만큼 미국인이 사랑하는 국가 '성조기여 영원하라!'
(The Star-sprangled Banner)

Oh! say can you see by the dawn's early light, what so proudly we hail'd at the twilight's last gleaming

어느 곳, 어느 행사든 미국인들은 국가 연주로부터 시작해.

신사숙녀 여러분, 기립해주십시오.

미합중국 국가가 연주되겠습니다.

이처럼 미국인들의 사랑을 받는 미국 국가는 미국이 영국과 전쟁을 하던 1814년

미-영전쟁

1812~1814

영국의 치열한 공격에도 굴복하지 않고 버텨낸 맥헨리 요새*에서

* Fort McHenry : 메릴랜드

힘차게 나부끼는 성조기를 보고 감격한 워싱턴 출신 변호사이자 3류시인이던 프랜시스 스콧 키*가

* Francis Scott Key

단숨에 써 내려간 시를 가사로 하고 있어.

오, 동터오는 여명 속에 자랑스럽게 펄럭이는 저 깃발을 보았느냐!

작사가 3류시인이면 어때? 국민의 사랑을 받는 국가의 가사인걸!

O! say does that star-spangled banner yet wave, o'er the land of the free, and the of the brave?

문제는 바로 곡이야!

Con Spirito
Verse B♭
1. o — say can you see by

미국 국가의 작곡자가 미국사람이 아닌 영국사람이라는 데 문제가 있지.

가사는 영국과의 전쟁 때 생기고

곡은 영국인이 만들었나?

미국 국가가 된 원곡(原曲)은 18세기 존 스태퍼드 스미스가 작곡한 것으로

그가 완성한 곡의 이름은 〈천국의 아나크레온〉인데

Ana-Creon

'아나크레온'이란 런던에 있던 사교 클럽의 이름이야.

술집 아냐?

Anacreon
Society
London

신문이나 잡지에 미국인을 상징하는 그림이 곧잘 등장하는데

국기로 된 모자와 줄무늬 바지 차림의 이 미국인은 '엉클 샘'이란 애칭으로

I WANT YOU FOR U.S. ARMY
NEAREST RECRUITING STATION

미국이나 미국 정부를 풍자하는 만화에 단골로 등장하고 있어.

" STAY OUT! STAY OUT FOR MY SAKE, AS WELL AS YOUR OWN!"

어째서 '엉클 샘'이라는 이름이 붙게 되었을까?

Uncle Sam 샘 아저씨

그 기원은 1812년, 미국이 영국과 전쟁을 하던 때로 거슬러 올라가.

영국이 나폴레옹과 전쟁 중인데 프랑스에 수출을 해?

남이야 개미 허리에 단도 차든 말든…

'샘'이라는 이름은 '새무얼'을 줄여 부르는 것으로

Sam ← Samuel
Bill ← William
Tom ← Thomas

'엉클 샘'은 실제로 존재했던 인물이야. 그의 이름은 샘 윌슨(Sam Wilson)으로

Hello!

줄무늬 바지도, 국기 무늬의 모자도 쓰고 다니지 않았던 그냥 평범한 미국인이었을 뿐이야.

그는 뉴욕에 살면서 미군부대에 고기를 납품하던 업자였는데

Sam's Butchery

살아생전에 전미국의 상징이 되는 영광을 누렸어.

Uncle Sam !

그런데 그가 미국의 상징이 된 데는 웃지 않을 수 없는 사연이 있었지.

우하하하하

정말 말도 안 되는 사연 말이야….

미국인들은 국기를 사랑한다고 했지? 이는 미국인들이 미국을 사랑한다는 뜻이고

I ❤ America!

미국이라는 그들의 '조국' 못지 않게 자신의 고향을 사랑해.

I ❤ KANSAS!   I ❤ N.Y.!   I ❤ TEXAS!

그런 만큼 어느 곳에 가나 국기인 성조기와 함께 그 주의 깃발이 나부끼고 있지.

이제부터 미국 각 주의 깃발에 얽힌 사연을 간단히 훑어보기로 할까?

알파벳 순으로 둘러보자고요.

ABC…

• 앨라배마(Alabama)주(상자 속의 숫자는 연방에 가입한 해야.)

we dare defend our right!
'기필코 우리의 권리'를 지킨다.

1819

남북전쟁 당시 남부군의 전투기에 그려져 있던 '남부의 십자가'를 모델로 했지.

그래서 남부에는 이런 주기가 많아!

• 알래스카(Alaska)주의 기는 1926년 초등학교에 다니는 인디언 소년이 디자인한 거래.

'미래를 향한 북쪽!'

1959

별들은 북극성과 북두칠성을 의미하고 금빛은 알래스카에 묻혀 있는 광산자원을 상징한대.

• 애리조나(Arizona)주
노란 빛살은 에스파냐 통치시대를, 별은 풍부한 광산자원을 의미하고

대협곡의 주, 아파치의 주

1912

그 지방에서 만들어 쓰던 것을 1927년 공식 채택했어.

그랜드 캐니언

• 아칸소(Arkansas)주
아래의 별 3개는 과거 식민통치자를 상징하고

호수와 강의 주

ARKANSAS

1836

위의 별 하나는 하나로 뭉쳐진 힘을 상징한다고.

더글러스 맥아더가 태어난 곳

● 캘리포니아(California)주
미국에서 가장 인구가 많은 이 주의
기는 1846년 캘리포니아 공화국
선포에서 사용된 거야.

1850

1911년에 와서야 공식 채택되었고
이 주의 상징인 그리즐리 곰과 '자유'
를 의미하는 별이 그려 있어.

미국에서 가장
높은 산이 있죠.

4,317m의
휘트니산

● 콜로라도(Colorado)주
'C' 모양은 한때 이곳을 지배했던
에스파냐의 색이며

1876

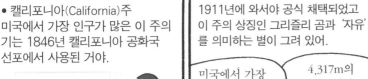

가운데 금빛은 이 주의 풍요로운
광산자원을 의미한다는군.

콜로 : Color : 색
라도 : Rado : 붉은 = red

↳ 붉은색의 대지

콜로라도주에
콜로라도강은
지나지 않는다!

● 코네티컷(Connecticut)주
방패 문양은 1784년 제정된 이 주의
문장이고

'양키'들의
본고장!

1788

남북전쟁 때 푸른 바탕을 넣어 주의
깃발로 사용한 게 그 유래야.

코넥티컷이 맞지?

아니,
코네티컷으로
읽어야 해.

Connecticut

● 델라웨어(Delaware)주
원래의 델라웨어 문장에 독립전쟁 때
미군군복색을 바탕으로 넣어 만들었지.

자유와 독립!

DECEMBER 7, 1787

1787

1777년에 제정되어 1913년에
공식 채택되었다는군.

우리 주의 별명은
'최초의 주'

미국연방에
제1호로
가입했죠.

1

델라웨어

● 플로리다(Florida)주
1868년에 채택된 원래의 기에는
남부 십자가가 없이 문장만 있었는데

햇빛의 주
Sunshine State

1845

1900년에 십자가를 덧붙여서 오늘의
깃발이 되었대.

플로
리다

에스파냐   미국

● 조지아(Georgia)주
2001년에 새롭게 채택된 기로 '동맹'을
강조하는 방패 그림이 있고

지혜, 정의, 중용

1788

노란 리본에는 과거 조지아주의
깃발들을 보여주고 있어.

제39대 대통령
지미 카터의
고향입니다.

123

• 미네소타(Minnesota)주
문장복판에 프랑스어로 '북쪽의 별'
이라고 적혀 있는 것은

1만 개
호수의 주

1858

이 주가 미국에서 가장 북쪽에
자리잡고 있음을 상기시키는 거야.

캐나다

여기 때문에

미네소타주

메인주

미국

• 미시시피(Mississippi)주
남북전쟁 때 사용하던 '남군전투기' 와
'남부동맹기' 를 합친 것으로

1817

엘비스 프레슬리

미시시피주의 기는 가로의 윗줄이
푸른색인 점이 달라.

미국-영국전쟁
승리 영웅이자
제7대 대통령
앤드루 잭슨

주 수도
잭슨

• 미주리(Missouri)주
이 주의 기는 과거에 프랑스 지배를
받았음을 상기시키는 삼색에

1821

24번째로 연방에 가입했음을
상징하는 24개의 별이 그려져
있어.

* 미주리 출신 해리 트루먼 대통령(가운데)

• 몬태나(Montana)주
'금과 은' 이라는 말이 에스파냐어로
씌어 있어 그 나라 지배를 받았음을
상기시키고

MONTANA

Mont = 산
Montana = 산이
많은 땅

1889

바탕의 푸른색은 과거 이 주의
민병대 상징 색깔을 채택한 것이지.

이곳을 안 보고
갈 수야 없지.

Yellow Stone
옐로스톤
국립공원

• 네브래스카(Nebraska)주
이 주의 문장을 주기로 채택했는데
이 지방 자연을 암시하는 배경에

옥수수의
천국

1867

농업과 산업의 발전을 상징하는
그림으로 이루어져 있다고.

인디언 말로
'잔잔한 강'
이란 뜻….

니(물) + 브챠카
(잔잔하다)

• 네바다(Nevada)주
1929년에 시행된 디자인 경연대회에서
우승한 작품으로

라스베이거스

Las
#Vegas

1864

1991년에 주 이름이 들어갔고
별은 네바다주를 상징한다는군.

카지노에 가서
한 밑천 잡아볼까?

알거지나
되지 말아요!

- 뉴햄프셔(New Hampshire)주
1775년부터 사용하던 주의 문장이
주의 기가 되었대.

'자유가 아니면
죽음을'
Live free or die

1788

중앙에 그려진 배는 독립전쟁 때
플리머스항에서 건조된 '롤리(Raleigh)'
호야.

대통령 예비
선거에서 중요한
물꼬를 트는 곳!

- 뉴저지(New Jersey)주
역시 주의 문장이 기에 사용된 예로
배경색은 독립전쟁 때 미국 군대의
군복색이며

한국인이 많이
살고 있죠.

1787

1896년에 지금 모양의 주기가 되었고
일반적으로 사용된 것은 1938년
부터지.

독립전쟁 때 치열한
격전이 벌어진 곳!

- 뉴멕시코(New Mexico)주
가운데 문양은 푸에블로 인디언들의
태양을 의미하며

1912

노란 바탕색은 에스파냐의 식민지였음
을 나타내고 있어.

올라!

- 뉴욕(New York)주
이 기는 독립전쟁 때부터 사용되어
1901년 지금의 형태로 자리잡았어.

별명은
'황제의 주'

1788

중앙의 두 여인은 '자유'와 '정의'를
상징한다.

뉴욕은 새로운 제국의
주도가 될 것이오!

조지 워싱턴

- 노스캐롤라이나(North Carolina)주
1861년 남북전쟁이 터질 당시 만들어진
기로

'꾸밈없이
있는 그대로'
To be rather
than to seem

1789

NC

남부동맹기에서 푸른 바탕에 주의
머리글자를 넣은 것만 달라.

미국에서 가장 오래된
노스캐롤라이나
대학교가 있음.

- 노스다코타(North Dakota)주
이 깃발은 원래 이 주 민병대의
기였는데

'다코타'는
인디언 말로
'친구'란 뜻.

1889

13개의 별은 최초의 주인 13개 주를
의미하고 중앙의 그림은 미연방
육군의 문장이야.

이 주의 수도는 옛
도이치 수상 비스마르
크의 이름을 땄어요.

Bismarck
비즈마크

- 사우스다코타(South Dakota)주
'햇빛의 주'라는 모토가 주의 문장 주변에 씌어진 깃발이지.

1889

이 모토는 1992년에 '러슈모어산의 주'로 바뀌었어.

The Mount Rushmore State

- 테네시(Tennessee)주
가운데 별 3개는 이 주가 원래의 13주 다음에 세 번째로 연방에 가입했다는 의미이고

그러니까 16번째….

1796

전체적인 분위기는 남부동맹의 기를 연상시키는, 전형적인 남부지방 주기이지.

컨트리 음악의 본고장

- 텍사스(Texas)주
색깔, 모양은 미국 국기인 성조기를 그대로 모방했으면서도

1845

* 조지 부시 미국 대통령

별 1개, 흰 줄과 붉은 줄도 1개씩으로 미국 국기를 '요약한' 셈이야.

번거롭게 별 50개 줄 13개나 긋냐?

그리기 쉽게 하나씩만….

- 유타(Utah)주
중앙의 벌통 모양은 사막에 세워진 몰몬교 교도들의 주임을 나타내며

1896

1896이란 숫자는 그들 몰몬교의 정착과 연방가입의 해를 나타내.

* 주 수도: 솔트레이크시티

- 버몬트(Vermont)주
소나무를 비롯한 중앙의 문장은 버몬트주의 독립을 상징하며

자유와 단결
Liberty and Unity

1791

원래 민병대의 깃발이었던 것을 1923년에 주기로 채택한 거라고.

70% 이상이 숲인 주

Ver	mont
=초록	=산

푸른 산

- 버지니아(Virginia)주
주의 문장은 독립선언의 해인 1776년에 채택되었어.

처녀의 땅

1788

엘리자베스 1세 여왕

승리한 전사의 그림이 그려진 이 깃발은 1851년, 남북전쟁 발발과 함께 사용되기 시작하였지.

버지니아는 대통령의 주	
조지 워싱턴	벤저민 해리슨
토머스 제퍼슨	존 타일러
제임스 매디슨	재커리 테일러
제임스 먼로	우드로 윌슨

5

열린 나라의 높아지는 문턱

이민의 나라 미국

미국은 세계에서 네 번째로 큰 나라다.

1. 러시아
2. 중국
3. 캐나다
4. 미국

대서양에서 태평양까지 4,500Km

LA

뉴욕

자동차로는 시속 100Km의 속력으로 45시간을 쉬지 않고 달려야 동서를 관통할 수 있는 광활한 대지야.

그것도 직선 코스로…

미국의 중부를 남북으로 가로지르는 미시시피강은 6,400Km나 되어 세계에서 세 번째로 긴 강이고

북아메리카 대륙의 등줄기처럼 4,500Km에 이르는 로키산맥이 남북으로 누워 있으며

해발 4,000m가 넘는 영봉들이 만년설을 이고 그 장엄한 모습을 뽐내지.

이 거대한 땅을 미국인들은 불과 200년도 안 돼 모조리 차지해버리고

USA
USA
USA

전세계에서 모여든 다양한 인종과 민족들의 새로운 보금자리가 되었던 거라고.

그러니까 미국은 '이민의 나라' 야.

Immigration

가방

잘 알다시피 미국 이민은 영국인을 비롯한 유럽인들로 시작되었어.

뉴잉글랜드 지방

영국 청교도들

네델란드인

버지니아 지방

잉글랜드인

에스파냐인

그러나 그들의 필요에 의해 아프리카 흑인들이 노예로 끌려왔고

값싼 노동력 이용을 위해 중국인, 일본인 등 아시아인들을 받아들이기 시작했지.

우리는 힘든 일 (苦力)하는 일꾼

苦力 =쿨리

To SANFRANCISCO

132

미국으로 이민 오는 이방인들을 처음 맞이하는 것은 뉴욕 항구 앞에 서 있는 자유의 여신상이야.

새로운 삶을 꿈꾸며 이곳에 온 이방인들에게 밝고 풍요로운 미래의 상징으로 보이는 자유의 여신상 밑에는

미국 여류시인 에머 래저러스의 시 〈새로운 거상The New Colossus〉이 새겨져 있지.

- 나에게 보내렴, 너의 지치고 가엾은 이들을
  자유롭게 숨쉬기 갈망하여 얼싸안은 무리들
  해변에 넘치는 저 가엾은 낙오자들
  가난한 이들, 집 없고 폭풍에 시달린 이들을
  나에게 보내렴.
  나는 금빛의 문 너머로
  나의 햇불을 드노니 -

미국은 과연 이 시구처럼 지치고 가엾은 이민자들을 따뜻이 품어 안아주는 나라일까?

USA

미국은 세계 인종의 도가니야. 정치, 경제, 종교의 자유를 찾아서

유럽인, 동양인 등이 몰려들어 1880년~ 1914년까지 이민의 봇물을 이루었어.

미국 국세조사국(US Cencus Bureau) 은 매 10년마다 미국의 인구조사를 하고 있는데

한국의 통계청 비슷한 곳이죠.

US Cencus Bureau

독립 직후인 1790년의 미국 전체 인구는 불과 400만 명도 안 되었는데

1790년 인구

3,929,000명

USA

2002년에는 거의 2억 9,000만 명으로 늘었으니, 200여 년 사이에 70배 이상 불어난 거지.

USA

중국 이민을 막기 위해 1882년 중국인 배척법을 제정했고

중국인 못지않게 대거 몰려들던 일본인 이민도 배척하더니

1924년에는 아예 아시아인의 이민을 금지하는 이민법을 만들어 버렸어.

이 법은 아시아계 이민을 배척하고 서북 유럽인 이민을 우대하는 인종 차별법 이지.

또 이민 온 일본인을 귀화가 불가능한 외국인으로 지정하여

미국내에서 땅을 가질 수 없도록 못 박아버렸다고.

2차 대전이 터지자 전쟁을 일으킨 도이칠란트, 이탈리아계 미국인에겐

책임을 묻지 않는 백인우대정책을 쓴 데 비하여

일본계 미국인들은 서부 사막지대에 강제수용하는 등

유별나게 아시아인에 대한 차별대우가 극심했지.

2차 세계대전 이후 새로운 세계변화에 맞추어, 1952년 새 이민법 '매카렌-월터법' 이 제정되었으나

어떤 민족보다 아시아계 이민에게 엄격하고 까다롭기는 마찬가지였어.

1960년대 시민들의 민권운동이 치열해 인종차별이 고발되는 시대로 접어들자

각국에 평등원칙을 적용하는 이민법이 만들어졌어.

한 나라에서 최대 2만 명까지 이민을 받겠다.

1개국 20,000명
평등이민정책

이 법에 따라 서반구에서 12만 명, 동반구에서 17만 명을 이민으로 받게 되면서

동반구
유럽 · 아시아 · 아프리카
17만 명

서반구
남북 아메리카
12만 명

유럽계 이민은 줄어든 반면 아시아, 남아메리카계 이민은 폭증했지.

아시아 남미계 이민

유럽계 이민

USA

여기에 불법체류, 불법이민이 크게 늘면서

1980년대엔 무려 1,000만 명이 넘는 이방인들이 미국에서 살게 되었어.

불법체류
밀입국
밀입국
불법체류
불법체류

도저히 해결책이 서지 않자 결국은 1990년 반이민법(Proposition 187)을 제정하여

아그르르르

미치겠다!

일단 불법이민, 불법체류자는 일체 사면해주는 대신에

사면

밀입국
불법
불법체류
불법

이민허가 조건을 더 까다롭게 하여 몰려드는 이민을 막으려 했지.

들어온 자는 어쩔 수 없고

문턱을 더더욱 높여라!

그럼에도 유럽계 이민은 계속 격감하는 반면 아시아, 특히 남아메리카에서 이민이 격증하여

올레!
OLÉ

드디어는 히스패닉이 흑인을 젖히고 제1의 소수민족이 되고 만 사태가 생기고 말았지.

1

2

이민에 대한 미국인들의 견해도 크게 두 가지로 갈라져

반대! 찬성!

이민은 미국사회를 혼란시키고 경제에 나쁜 영향을 준다. 범죄의 주 원인이 바로 이들이 아닌가?

STOP

이민은 미국사회를 다양하게 만들며 경제를 강화시킨다. 이들 없이 오늘의 미국이 존재했겠는가?

OK

미국 정부의 이민정책은 점차 가족 중심에서

고교졸업 이상의 우수한 노동인력을 우선적으로 받아들이는 쪽으로 바뀌었지만

| 의사 | 기술자 | 과학자 |

경기가 좋으면 이민에게 우호적으로

호경기

나쁘면 적대적으로 변하는 이민정책의 속성은 결코 쉽게 사라지지 않을 거야.

불경기

2001년 9월11월 이후로 미국에 입국하기가 더더욱 까다로워졌고

9.11 테러

STOP

2004년부터는 모든 입국자들에게 사진과 지문 찍을 것을 요구하는 등

이름 _____
여권번호 _____
국적 _____

입국일자 _____   출국일자 _____

'열린 나라' 라는 미국의 문턱은 계속 높아져만 가고 있어.

USA

오죽하면 이런 미국의 태도에 성난 브라질 정부는

미국 방문객을 모두 범죄자 취급하다니…

대단히 기분이 나쁘고 언짢다!

브라질

브라질에 오는 미국인 입국자에게 사진과 지문을 찍게 하는 똑같은 '대접' 을 해주고 있지.

미국인? 저리 가!

사진·지문

어느 나라든 방문하려면 입국허가증, 즉 비자(VISA)또는 사증(査證)을 받아야 해.

VISA
입국허가증
NAME :
BIRTH :
PLACE :

우리나라의 경우 대부분의 세계국가들과 협약을 맺어 비자를 받지 않고 입국할 수 있지만

코리아? 통과!

IMMIGRATION

미국, 일본, 중국 등을 방문하려면 반드시 비자를 받아야 하지.

미국   일본   중국   베트남 등

비자란 말 그대로 입국 허가증이기 때문에 반드시 방문하려는 나라의 밖에서 받아야 하고

이미 들어온 사람을 들어오라고 허락하겠니?

허가받은 기간이 지나면 정당한 사유가 있을 경우에 한해

체류허가 기간이 곧 다 되어가네.

법정절차를 거쳐 그 기간만 연장할 수 있지.

연구결과가 예정보다 늦어져서

1년 더 이곳에 머물러야겠습니다.

변호사 사무소

미국에 가기 위해 비자를 받으려면 매우 까다로운 절차를 거쳐야 하고

비자 신청 접수 → 인터뷰 → 심사 → 발급 / 거부

왜 가려고 하십니까?

미국 영사관에서 발행해주는 비자의 종류도 그 어느 나라보다 종류도 많고 세분화되어 있다고.

J-1 본인
J-2 배우자 가족

미국비자의 종류만도 엄청나게 많아.

미국 영사관에 신청하는 비자
A. B. C. D. E. F. G. I. J. M. N. R.

미국 이민국에 신청하는 비자
K. L. O. P. Q.

미국 노동성에 신청하는 비자
H.

그러니까 미국비자만 보고도 무슨 목적으로 왜 미국에 가는지 금방 알 수 있게끔 해놓았다는 거지. 한번 훑어볼까?

A비자 외교관비자

B비자 관광, 비즈니스용

그러나 영주권을 가지고 있다 해도 시민권자와 달리 분명한 외국인이야.

영주권자	시민권자
↓	↓
외국인	미국인

하지만 선거권, 피선거권만 없을 뿐 시민권자와 별다른 차이가 없고

민주당을 뽑을까, 공화당을 뽑을까… 아니면 내가 출마해?

주에 따라 영주권자가 공무원이 되는 경우도 있다고.

영주권은 10년에 한 번씩 바꾸도록 법에 규정되어 있는데

영주권 바꿀 때가 됐으니

다시 미국으로 가야겠네….

형식적이긴 하지만 이때에 미국에 체류하고 있어야 해.

미국에 살지도 않으면서

남을 시켜 영주권만 연장하겠다고?

영주권은 취업비자와 달라. 취업비자로 와서 퇴직, 실직하게 되면 미국에서 떠나야 하지만

해고!

애고, 미국에서 더 못 살게 되었구나!

영주권자는 계속 미국에 머무를 권리가 있어.

해고!

딴 일자리 알아봐야겠네….

또 영원히 미국에 머무를 권리는 있지만 납세와 병역의 의무가 뒤따르고

납세 병역

18~26세의 징병대상 남자는 등록을 해야 하며

영주권자로 18세가 되어 등록합니다.

군대 가는 것을 거부할 수 있어도, 이 경우엔 시민권을 신청할 자격이 박탈되지.

시민권을….

군대도 안 간 비애국자에게 시민권을 줄 수 없소!

한국인이 미국의 영주권을 얻어도 한국 국적을 유지할 수 있지만

한국 국적	미국 영주권
한국인	한국인

한국은 이중국적을 인정하지 않으므로 미국 국적인 시민권을 획득하면 한국 국적을 잃게 돼.

~~한국 국적~~	미국 시민권
~~한국인~~	미국인

영주권을 취득한 뒤 5년이 되면 시민권을 신청할 수 있어. 즉 미국으로 '귀화' 하는 거야.

외국인
미국인

미국시민과 결혼하는 경우에는 3년 만에 신청자격이 생기고.

3년

외국인
미국인

다만 어느 경우에나 이 기간 중에 도덕적으로 문제가 없어야 하고

아무리 미국시민과 결혼했어도

3년간 사기, 도박, 마약, 폭행… 시민권 부여 거부!

NO!

이 기간의 적어도 반 이상을 미국에 체류해야 돼.

시민권 노린 결혼 아니야?

결혼만 덜렁 하고 거의 대부분 미국에 없었다….

NO!

신청 후 이민국에서 시행하는 간단한 귀화시험을 구두로 받게 되는데

초대 대통령이 누구죠?

미국 독립선언에 서명한 주가 몇 개죠?

??

여기에서 합격하면 미국시민권을 획득, 즉 미국사람이 되는 거지!

합격이다!!

이그… 그것도 시험이라고….

미국에서 태어난 사람은 누구나 미국의 영주권과 여권을 받으므로

이 땅에서 태어나면

인종, 민족 구별 없이 미국인으로 인정한다.

USA

임신한 여성이 미국에 가서 아기를 낳아 영주권을 받는 '원정출산'이 등장하기도 해.

내 아이를 미국인으로….

이 경우의 사람은 16세가 되면 스스로 자신의 국적을 결정해야 해.

한국 국적을 가질 것인가

미국시민이 될 것인가?

한국 여권

미국 여권

시민권을 얻으면 부모, 자식, 형제를 미국에 초청할 권리가 생기지만

나 시민권 먹었다!

엄마, 아부지, 동생, 누나 다 와라!

USA

귀화시민은 미국의 대통령이 될 수 없도록 되어 있어.

이제 미국인이 되었으니 백악관에 도전해볼까?

아놀드 슈워제네거가 미국대통령에 도전할 수 없는 이유도 바로 이것이야.

오스트리아 출신 귀화 미국인

내 아들이라면 가능해도….

미국의 이민 정책 가운데 가장 재미있는 것이 추첨을 통해 영주권을 나누어주는 제도야.

영주권 당첨이오!

복권추첨도 아닌 영주권추첨이라니 엉뚱하지?

쏘세요!

준비하시고…

이 제도는 이민을 여러 나라에서 다양하게 받아들이기 위해 1990년 시작한 것으로

분산이민, 또는 다양화이민이라는 뜻으로 DV라고 불러.

Diversity Immigrant = DV

이 제도의 목적은 특정 국가나 민족에게 이민 '혜택'이 쏠리지 않도록 하기 위해

우리 모두 미국으로 이민 가고 싶다!

미국 이민 관심없다!

A나라   와글와글   B나라   조용

세계 각국에서 이민 희망자를 모집, 컴퓨터 추첨으로 영주권을 나누어주는 제도야.

자연 DV로 다양한 국가와 민족에게 고르게 영주권을 주다 보니

균형유지

DV   영   주   권

미   국   내   민   족

미국내에 충분한 숫자가 있다고 여겨지는 국가의 지원자들에게는 아예 신청의 기회조차 주지 않는데

접수받지 않아요.

이민국

이런 나라는 폴란드, 파키스탄, 아이티 등이야.

미국에 넘쳐흐른다.

폴란드   파키스탄   아이티

반대로 매년 신청을 받아주는 나라는

이런 나라에서는 좀더 많은 이민이 왔으면 좋겠다!

선진국   USA

일본과 스칸디나비아 국가들이지.

선진국 국민들에게 특혜주는 거네….

그래도 가려는 사람이 드물지!

반면에 신청을 받기는 받되, 매년 받아주지 않고 가뭄에 콩 나듯 아주 가끔 받아주도록 지정된 나라도 있어.

이 나라 사람들은 이미 미국에 충분한 숫자가 이민 와 있다!

이런 나라로 지정된 나라는 한국을 비롯하여

아주 가끔 신청을 받아주는 나라

아시아와 남아메리카의 여러 국가가 있지.

아시아	한국, 중국, 타이완 인도, 필리핀, 베트남
남아 메리카	멕시코, 자메이카, 콜롬비아 엘살바도르, 도미니카 공화국
기타	캐나다, 영국(북에이레 제외)

하지만 신청이 안 되는 나라 국적을 가진 사람도

DV 신청하고 싶은데요.

당신은 폴란드인이라 신청이 아예 안 돼요.

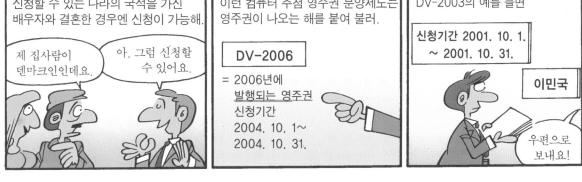

신청할 수 있는 나라의 국적을 가진 배우자와 결혼한 경우엔 신청이 가능해.

제 집사람이 덴마크인인데요.

아, 그럼 신청할 수 있어요.

이런 컴퓨터 추첨 영주권 분양제도는 영주권이 나오는 해를 붙여 불러.

DV-2006

= 2006년에 발행되는 영주권 신청기간 2004. 10. 1~ 2004. 10. 31.

DV-2003의 예를 들면

신청기간 2001. 10. 1. ~ 2001. 10. 31.

이민국

우편으로 보내요!

전세계에서 무려 87만 명이 신청했고

신청자격이 없는 국가에서 응모했거나 여러 번 신청하여 무효가 된 270만 통을 제외한

응모서류 일절 반환 안 함

낙선자에게는 통보 안 하고 당첨자에게만 통보

620만 통의 신청서를 컴퓨터로 처리, 추첨한 결과

87,000명이 미국 영주권을 발급받았는데, 그 중에서 아시아인이 14,000명이었어.

1. 방글라데시 4,935명
2. 네팔
3. 타이완
4. 일본
…… 순서

무려 100대 1이나 되는 경쟁을 거쳐서라도 미국에 이민 오려는 사람들이 매년 수백만 명이나 되는 걸 보면

만세! 당첨됐다!

아직도 미국은 여러 나라 사람에게 '자유와 기회의 땅'으로 여겨지는 모양이지?

자유

풍요

기회

USA

146

미국에 진출한 한국 이민들은 미국인들이 중국인, 일본인을 싫어하는 이유를 깨달았어.

NO THANKS.

중국인, 일본인들은 너무 자기네끼리만 어울린다….

말이 안 통하니 어쩔 수 없지….

말은 배우면 되는데 아예 배울 생각을 안 해.

말이 통해도 문화가 너무 달라서 못 어울린다고.

자기네들끼리만 똘똘 뭉쳐 사니 미국인들의 거부감이 강해.

숙덕 숙덕

우리는 그러지 말자. 미국사회 속으로 어울려 들어가자!

어차피 우리가 살아야 할 나라니까….

초기의 한국인 이민들은 무리를 짓지 않고 미국사회에 동화하려 노력하여

헬로, 피터!

하이!

중국인, 일본인들과는 달리 코리아 타운의 형성이 늦어졌던 거라고.

CHINA TOWN

LITTLE TOKYO

6·25전쟁이 터지고 미군이 참전한 것을 계기로

UN

다시 많은 한국인들이 미국으로 건너갔어.

전쟁을 피해…

새 세상을 찾으러….

그 이후 미국에 건너간 한국인 이민들은 의사를 비롯한 전문직업인들에다

웰컴, 닥터!

특히 기독교를 믿는 사람들이었기 때문에

예수 그리스도…

아멘!

미국사회에 융화하는 데 큰 문제점이 없었지.

하나님의 축복을….

1965년, 존슨대통령이 새로운 이민법에 서명한 이후

The Hart-Celler Act* 1965

미국으로의 이민은 폭발적으로 늘어났어.

뿅

이 법은 과거에 나라별로 할당제로 받던 이민제도를 폐지하고

A B C D
E F G H
I J K L
M N O P

* 하트-셀러법

서반구에서 12만 명, 동반구에서 17만 명을 받기로 큰 틀을 바꾼 것이지.

서반구 ← 미국 → 동반구

12만 중국 한국 일본 인도 / 등등 아시아

남미·유럽 캐나다 17만

이렇게 되자 미국시민권을 가진 사람은 출신나라에 구애되지 않고

12만 명 안에서라면

얼마든지 우리 나라에서 사람을 불러와도 되네!

1965 이민법

배우자, 자녀, 부모, 형제들을 자유롭게 미국 땅으로 불러들일 수 있게 된 거야.

부모 배우자 쉘컴!
형제
처가 자녀

USA

애초에 미국정부가 오산을 한 셈이지.

아시아인들은 미국에 친족이 없으니까

이 법은 아시아 이민을 억제시킬 수 있을 거야.

그러나 예상을 뒤엎고 한국계는 친족 초청으로

엄마, 아버지 처자에

조금이라도 끈이 닿으면 미국으로….

미국으로 와요~!

USA

미국에 사는 한국인 수가 폭발적으로 늘어났고

방앗간
순대국
냉면
약국
민속주점

여기가 미국 맞아?

미국정부 또한 기술을 가진 전문직 종사자들의 이민을 환영했기 때문에

의사, 기술자 OK!

전문인력은 미국에 도움이 됩니다.

이민심사

특히 의사들이 무더기로 미국으로 이민을 가는 바람에

비싼 돈 들여 의술 가르쳐 놨더니….

한때는 뉴욕의 한국인 의사 수가 한국 농촌 근무 의사보다 많을 때도 있었어.

뉴욕의 한국인 의사 수

한국 농촌 근무 의사 수

가난과 절망에서 벗어나고자 자유와 풍요를 꿈꾸며

미국은 모든 게 풍족하다지?

자유와 기회의 땅, 민주주의의 본고장이라며?

때마침 미국 이민법이 바뀐 것을 계기로

미국 가기가 아주 쉬워졌다네.

그래? 희망의 땅으로 이민이나 가자!

수많은 한국인들이 미국으로 이민을 떠났어.

자식교육도 중요하고

가난이라면 이제 정말 지긋지긋하다!

먼저 건너간 사람이 아내를 부르고 자식과 가족을 부르고, 이런 식으로 가족단위 이민이 큰 붐을 이루어

오늘날에 이르러서는 미국 안에 있는 한국동포가 200만 명이 훨씬 넘고

Korea Town

미국 전체 어느 곳에 가더라도 한국 사람이 없는 곳이 없을 정도로 널리 퍼져 살고 있지.

여기에도…!

알래스카

한국식당 아리랑

가난한 나라에서 맨주먹만 쥐고 건너온 한국 이민들은

산 입에 거미줄 치랴!

오기와 부지런함만으로 피눈물 나는 고생과 함께 미국생활을 시작했어.

내 자식들에게 또다시 가난을 물려줄 수는 없다!

자본도, 뿌리도 없는 그들이 할 수 있는 일이란 많지 않았지.

이걸 넘지 않으면 죽는다….

인종차별

영세자본

소수민족설움

텃세

처음엔 보따리로 옷을 사다가 파는 일

SALE

거기서 조금 돈의 여유가 있으면 의류 공장이나 봉제 장난감 공장 등

오직 근면과 성실, 그리고 몸과 시간을 모두 던져 달러벌이에 잠자는 시간까지 아껴가며 달려들었다고.

남들이 꿈속을 헤맬 이른 새벽에 일어나 청과 도매상으로 달려가

싱싱한 과일을 저렴한 가격에 파는 한국인들의 부지런함은

Very Fresh!

뉴욕 과일가게를 장악하여, '뉴욕 청과상은 한국인'이란 말이 나왔을 정도야.

한국인 = 뉴욕 청과상

대부분의 세탁소 경영인이 한국 사람인가 하면

술만 전문적으로 판매하는 리커스토어,

BEER
WHISKY
TEQUILA

KIM'S
LIQUOR
STORE

작은 규모의 슈퍼마켓 등

적은 자본에 부지런함과 긴 노동시간으로 때우는 업종에는 항상 한국인이 있었지.

부지런함은 한국인을 못 당해….

이젠 한국인의 자본규모도 엄청나게 커져서

서울에서도 보기 드문 규모의 대형 식품점이 미국 곳곳에서 영업중이고

ARIRANG MARKET

한국인이 운영하는 대형 쇼핑몰은 물론

SHOPPING CENTER
SHOPPING MALL
PLAZA
Galeria

대형식당, 호텔 등, 미국의 한국인들은 점차 노동형에서 자본형투자로 그 모습이 바뀌어갔고

노동투자 → 자본투자

그만큼 한국인들의 위상도 미국에서 높아졌어.

이번 선거에서 한국인이 꼭 나를 밀어줘요.

뒤늦게 형성되기 시작하였지만 미국 주요도시 곳곳에 한인타운이 생겨나

로스앤젤레스의 올림픽가 한인타운은 미국 최대규모로

여기, 미국 맞아?

서울특별시 나성구래.

해장국

부동산중개

치과

분식점

영어 한 마디 몰라도 모든 것이 해결되는 미국 속의 한국이야.

아줌마, 여기 삼겹살과 소주요!

예, 예!

뉴욕 32번가는 '리틀 코리아' 로 불리는 한인타운이고

뉴욕의 플러싱과 뉴저지에도 수십만 한국인이 모여 살고 있는 등

아저씨, 센트럴 파크가 어디죠?

쭉 가다가 왼쪽에 있어요.

한국인의 뿌리는 이미 미국사회에 깊이 내려져 있어.

KOREA

USA

가난하고 힘들고 소수민족이 겪는 차별대우는 언제나 한국인이 겪어야 했던 서러움이었다.

흥!

I ♥ USA

모든 괴로움과 외로움을 풀고 고향에 대한 그리움을 달래기 위해 이들은 주일마다 교회를 찾았고

저 높은 곳을 향하여

희망교회
KOREAN CHURCH HEEMANG

신앙은 미국 이민 생활의 어려움 속에서 커다란 힘과 위안이 되었어.

주여, 이 불쌍한 양들을 인도하사…

아멘!

교회는 자연 한인사회의 구심점이 되었으며

용기를 잃지 마세요.

감사합니다, 목사님!

신도끼리 결합, 단결하여 외롭고 힘든 삶에 서로 위안받고 협조하는 등

피곤하지 않아요? 일요일인데 쉬시지….

무슨 소리야? 교회엔 꼭 가야지!

미국의 한인사회에서 교회와 신앙은 크게 중요한 몫을 차지하고 있다고.

교회

미국의 한인사회에서 교회가 끼친 영향과 공로는 아무도 부인할 수 없지만

아버지시여, 외로운 영혼들을 인도하사….

유대교회와는 달리 한인교회는 교회끼리의 지나친 경쟁과 배타성

A 한인교회

B 한인교회

그리고 몸집 불리기에 치중한 점이 큰 아쉬움으로 남아 있어.

A 한인교회

B 한인교회

미국 한인사회의 가장 큰 문제점은 아무래도 부모와 자식간의 사고방식일 거야.

애야.

하이, 댓!

맨주먹으로 미국에 건너와 온갖 궂은 일을 마다하지 않고

청과상, 세탁소 주류점

접시닦이부터 안 해본 일이 없다!

피땀 흘려 안정된 삶을 이룩한 이민 1세대들은

오로지 모든 희망을 자식교육에 걸고 자신들을 철저히 희생하였다.

집값이 비싸더라도

좋은 학군으로 이사가야겠어요.

어린 나이에 부모 손에 이끌려 미국에 건너온 이민 2세대들은

곧 미국에 동화되어 영어가 훨씬 편한 미국의 시민권자들이 되었지.

Hi, Al!

Hello, Roy!

이들의 사고방식도 미국화되어 부모와는 전혀 다른 미국식 의식 구조를 갖게 되고

냉장고에서 맥주 좀 가져와.

아빠가 마실 걸 왜 내게 시켜요?

점차 부모와는 의사소통이 제대로 되지 않는 가족 갈등도 적지 않아.

이 자식이 부모를 뭘로 알고….

때리면 경찰 부를 거예요.

한국인 부모들은 전혀 미국화되지 않은 순수 한국인인데

뼈빠지게 고생해서 키워주었더니

뭐, 경찰을 불러?!

미국사회에서 한국인들이 가지고 있는 가장 큰 문제는 인종적인 폐쇄성이야.

한국인

한국인은 세계에서 보기 드문 순수에 가까운 단일민족이며

순수혈통!

족보

역사 이래 이민족과 어울려 살아본 경험이 없어.

이민족과는 오직 전쟁

아니면 멀리 떨어져 섞이지 않는다!

그런 만큼 세계 모든 인종과 민족이 뒤엉켜 사는 미국사회는

바글
바글

한국인에게는 낯설고 적응하기 어려운 사회였음에 분명해.

그것 참….

다른 민족과 어울려 살아본 경험이 적은 민족의 특성은 이민족에 대한 편견과 선입견으로

편견 선입견

이는 그대로 한인사회에도 적용되었어.

백인은 우수하고

흑인은 열등하다.

인종 편견

자연 한국인들은 자신도 모르게 인종차별적이 되었고

흥!

그 결과 다른 민족과 어울리지 못하는 외톨이가 되고 말았지.

백인은 상대를 안 해주고

흑인은 상대를 안 하고….

이러한 한국인들의 폐쇄성은 다른 민족들에게 결코 유쾌한 것은 아니었어.

부지런하고 억척스러운 한국인들

무슨 사업을 하든 유대인 다음으로 성공률이 높다.

하지만 같이 설움받으며 고생하는 처지에 흑인을 업신여긴다!!

첨단문명 속의 정글

미국사회의 빛과 그림자

세계에서 가장 권위 있는 노벨상은 받는이 개인의 영광일 뿐더러

국가로도 커다란 영광이자 자랑이지.

1901년부터 시상되어온 노벨상은 그 역사가 100년이 넘었지만

* 1901~2002년까지

우리나라는 단 한 개, 그것도 평화상에서 김대중 전 대통령이 받은 것이 전부야.

물리 · 화학상	0
생리 · 의학상	0
문학상	0
평화상	1
경제학상	0

반면 이런 귀중한 노벨상을 받은 미국인은 무려 261명이나 돼!

261명

싹쓸이 수준이네…

노벨평화상은 세계 각국에 돌아가면서 주니까 단 20명이 수상했을 뿐이지만

1회	1901	스위스/프랑스
2회	1902	스위스
3회	1903	영국
4회	1904	국제법률연구소
5회	1905	오스트리아/헝가리

세계 과학과 의학 발전에 혁명적인 업적을 기록한 과학자에게 주는 노벨 물리, 화학, 의학상은

거의 반을 미국이 싹쓸이하다시피 했다고.

메달

아무리 서양에서 주는 상이고 서양인의 잣대로 심사한다고는 하지만

서양

심사

세계 제2의 경제대국이라는 일본의 노벨상 수상자 수와는 너무 비교가 되는 거 있지.

미국 261명   일본 11명

기초과학에 훌륭한 업적을 이룩한 노벨 물리학상을 받은 미국인이 74명,

올해 노벨물리학상 수상자는….

또 미국인 이겠지 뭐….

화학상을 받은 미국인이 50명, 의학상은 무려 83명에 이른다고.

내 지도교수가 노벨상 수상자야.

우리 교수도.

우리 교수도….

또 나라별로 돌아가며 주는 노벨 문학상은 미국이 9번

미국인 노벨 문학상 수상자

1930 싱클레어 루이스	1978 아이작 B. 싱어
1936 유진 오닐	1980 체슬라프 미우오슈
1938 펄 벅	1987 조지프 브로드스키
1949 윌리엄 포크너	1993 토니 모리슨
1954 어니스트 헤밍웨이	**일본인**
1962 존 스타인벡	1968 가와바타 야스나리
1976 솔 벨로	1994 오에 겐자부로

노벨 평화상을 20명의 미국인이 받았으며

1969년부터 시상하기 시작한 노벨 경제학상은

Nobel Prize Economics

경제 경영

33년간 무려 35명의 미국인이 수상하여 세계 자본주의 경제이론을 미국이 주도한다고 해도 지나친 말이 아니야.

미국인 수상자 35명	비미국인 수상자 17명

더블!

노벨상 수상자 수가 상징적으로 나타내듯, 미국은 가장 앞선 과학의 나라이며

USA

과학

1

세계 경제를 이론과 실제에서 모두 이끌고 있는 최첨단 문명국가지.

세계 경제의 핸들은 우리가….

세계 경제

세계 금융은 미국의 월스트리트가 이끌고

월스트리트

맨해튼교

월드 트레이드 센터 자리

뉴욕

맨해튼

실리콘밸리로 일컬어지는 첨단과학 단지는

세계 IT산업의 심장!

실리콘밸리

세계의 디지털혁명을 이끌어가는 미래산업의 산실이기도 해.

그 밖에 할리우드에서 만들어지는 대작의 미국영화들은

전세계 극장에서 상영되어 세계의 관객들을 매료시키며

우아…

그들의 뇌리에 '위대한 아메리카'를 주입하고 있다.

역시 지구를 지키는 건 미국밖에 없어.

상영중 지구수비대 외계의 습격을 막아라!

미국의 가장 큰 매력은 바로 기회와 평등이 보장된 자유의 나라라는 거야.

누구나 승자가 될 수 있다!

누구나 평등하게 경쟁한다!

USA

자본주의의 특징은 '기회의 평등'을 보장하여

공정한 경쟁을 거쳐 능력 있는 자가 더 많은 것을 차지하는 제도이고

사회주의의 특징은 '결과의 평등'을 추구하는 것으로

A B C

능력에 관계없이 결과적으로 고르게 나누어 갖는 제도이지.

A B C

자본주의의 첨단을 걷는 미국인인 만큼 경쟁을 최대한 장려하되

최대한 노력하여 능력껏 소유하자!

독점이나 부당한 경쟁을 철저하게 금지함으로써

반칙, 퇴장!

누구나 경쟁력을 갖추고 열심히 노력하면

부귀를 누릴 수 있는 기회가 언제나 열려 있는 나라가 미국이야.

재산

명예

또 모든 국민은 개인의 자유와 권리가 법으로 보호되므로

법

법만 어기지 않으면 자유와 행복을 맘껏 누릴 수 있고

법

억울한 일을 당하면 법에 호소하여 해결할 수 있는 길이 열려 있는 '정의사회'이기도 해.

법

미국은 민족국가가 아니라 이민국가인 만큼

NO THANKS!

민족국가　이민국가

어느 인종, 민족도 받아들여지고 다양한 의견이 존중되는 사회

A　B　X　Z

즉 다원주의(多元主義)사회라는 점이 커다란 장점이기도 해.

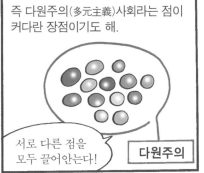

서로 다른 점을 모두 끌어안는다!

다원주의

다양한 민족과 문화가 한데 어우러지고 서로 다른 사고가 자유롭게 분출, 교차하는 가운데

와

투명한 햇볕에 저런 다양함이 있었다니…

민족국가와는 달리 독특하고 새로운 발상을 할 수 있게 되고

민족국가의 사고방식　다원주의의 사고방식

그것이 뛰어난 독창성으로 이어지는 것도 미국 사회가 눈부신 발전을 할 수 있었던 원인이지.

산과 바다　산과 바다

누가 뭐래도 미국은 최첨단 문명국가이며

지구상에서 가장 풍요롭고 자유로운 나라이자

국민이 안심하고 행복한 삶을 누릴 수 있는 선진국가임이 분명해.

또한 세계 최강의 군사력과 경제력을 지닌 유일의 초강대국이며

민주주의와 자본주의 경제 등 많은 면에서 세계의 부러움을 사고 있는 일등국가이고

세계 많은 나라들이 본받고 싶어하는 모델 국가이기도 하지.

미국을 본받자!

민주주의　시장경제　자유평등　기회

USA

우리나라만 해도 많은 경우에 미국을 본보기로 들고 있고

미국

미국에서는…

미국에는…

미국에서는…

미국은

미국이야말로 우리가 보고 배워야 할 선진국의 상징처럼 되어 있을 정도야.

미국의 예를 따르면…

미국의 경우는

미국에서 이런 일이 있었다면…

그 이유는 우리가 군사, 경제, 문화 모든 면에서 미국과 떼려야 뗄 수 없는 깊은 관계를 맺고 있으며

군사동맹

경제

문화

수출로 먹고사는 우리에게 미국이란 결코 포기할 수 없는 중요한 시장의 하나거든.

Hi!

Made in Korea

USA

뿐만 아니라 우리나라의 많은 제도가 미국을 본뜬 것이고

미국	한국
대통령중심제	대통령중심제
시장경제제도	시장경제제도
교육제도	교육제도

우리가 피로써 쟁취한 민주주의도 미국에서 들여온 것 아니겠어?

조심해서 다뤄야 해.

민주주의

USA

그러나 미국이 우리에게 이처럼 모든 면에서 '본보기'가 된 이유는

미국에선 말야…

우리가 미국의 51번째 주라도 되나…?!

우리나라를 이끄는 주요인물들이 미국에서 공부를 한 사람들이고

미국유학

그들에겐 미국이 세계 어느 나라보다 훌륭한 나라로 인식되어 있기 때문일 거야.

와~

모든 게 우리보다 앞서 있고

대단한 나라야!

너무너무 비교된다!

한 나라를 비교적 객관적으로 바라보려면

먼저 색안경부터 벗고…

세계 여러 나라를 둘러보고 비교해 봐야 하는데

빨갛다!

세 계 여 러 나 라 들

대부분의 사람들은 미국에만 머물다 왔으니 미국을 비교의 잣대로 보기가 어려웠을 거야.

또 미국에 너무 익숙해져서 다른 나라는 불편해…

미국이 첨단 문명 국가로 가장 부유하고 강대한 나라임에는 분명하지만

어느 나라나 마찬가지로 미국도 미국 나름대로 많은 문제점을 안고 있지.

아시아나 유럽 나라들과 달리 미국의 역사는 대단히 짧고

US

온갖 인종과 민족이 모여 무한대의 자유경쟁을 하는 나라이고 보니

문명갈등
인종갈등
무한경쟁
민족갈등

동포애, 민족주의 등 공동체의식보다 철저한 개인 위주의 사회가 미국이야.

개인
주의

남이야 어쨌든 나와 내 가족만 챙기는 극단적인 이기주의는

나
가족

혈연, 지연 등으로 얽힌 아시아나 유럽인들의 눈에는

인간이 인간답게 살기 어려운 살벌한 정글로 보이는 모양이야.

미국은 첨단문명 속의 정글이다!

으르렁
카악

USA

그들이 말하는 인간이 인간답게 살 수 있는 국가나 사회는 무엇인가?

안심…
따뜻…

국가·사회

아무리 무한대의 경쟁이 허용되는 사회이며 누구에게나 기회의 평등이 보장된다고는 하지만

입장자유

무제한
서바이벌
게임장

반드시 약자가 있고, 부당한 강자가 있는 것이 바로 사회 아닌가?
강자가 약자를 무자비하게 착취하고 부를 독차지하는 사회

약자가 보호되지 않는 사회, 나 자신 외에는 아무도 나를 돌보아주지 않는 비정한 사회, 이런 사회야말로 약육 강식의 정글과 무엇이 다른가?

167

그러니까 아시아나 유럽 국가들이 추구하는 인간이 인간답게 살 수 있는 나라, 즉 '문화국가' (文化國家)란

무한대의 경쟁 속에서도 약자는 최소한의 보호를 받으며

꼴지에게도 이 정도의 배려는 해야….

물질만능주의가 판치는 세상이지만 인간이 물질, 돈보다 더 대접을 받아

이게 얼마 짜린데….

마치 헌 운동화짝처럼 이용가치가 없다고 버림받지 않는 사회

자넨 해고야.

인간의 존엄성이 존중되어 피부색으로 차별받지 않으며

인종적으로 열등한 민족은 있는 거라고….

내가 위험에 처하면 나라와 사회가 도와주는 사회

돈에 의해 인간이 차별대우 받지 않는 사회

저 끝에다 주차하슈.

이런 사회, 이런 나라가 바로 문화를 지녔다고 볼 수 있지.

인간 물질

이런 관점에서 보면 미국이란 사회는 외국인의 눈엔 약육강식이 판치는 정글과 다름없다는 얘기야.

기회의 평등, 공정한 경쟁이 보장된 사회라고는 하지만 20 : 80의 사회

20

80

경제의 가위

요컨대 20%의 부유층이 모든 부귀의 80%를 독점하는 미국사회는

$ 80%

20% 부유층

80% 서민층

$ 20%

극히 일부 계층의 사람들에게만 자유와 평등, 풍요가 보장되는 불평등 사회라고 보여지는 거라고.

미국이 선진국들 사이에서 비난받고 있는 것 중 하나가 바로 사형제도야.

선진국 가운데 사형을 집행하고 있는 나라는 미국뿐으로

옛날에 폐지했다.

판결은 내리지만 집행은 않는다.

서유럽

우리나라에서도 사형제도는 빨리 사라져야 할 거야.

우리는 사정이 다르다!

그래도 없애라!

사형이란 도저히 용서할 수 없는 큰 죄를 지은 자에게 내려지는 최고의 형벌이지만

극형에 처함!

땅

땅 땅

사형이란 어쨌든 살아 있는 사람을 죽이는 것이니 살인(殺人)임에 분명하고

범죄

KILL : 죽인다

흉악범이 흉기로 사람을 죽였든

재판 판결에 의해 사형선고가 내려져 법에 의해 사형을 집행했든 살아 있는 사람 죽이기는 마찬가지이니

이를 '사법살인'이라고 하여 선진국에서는 이미 오래전에 사라졌어.

인도주의에 어긋나며

오판에 의해 집행되면 철회할 수 없고

피해자에게 아무런 도움도 안 되는

사회적 복수일 뿐이다!

사형제도 폐지 근거

미국에서도 주마다 사형제도가 있기도 하고, 없기도 한데

일벌백계, 사형제도는 중요하다.

위협효과 없다. 사법살인은 그만.

텍사스주

미시간주

사형에 해당하는 죄수에겐 대개 사형 대신 도저히 살아서는 감옥을 나가지 못할 중벌을 내리는 게 일반적이야.

567년 징역!

그러나 일부 주에서는 사형이라는 극약처방을 사용하여

사형을 선고한다!

미국사회를 온통 들썩거리게 하곤 해.

사형 반대!

사형집행 찬성!

와 와 와

NO YES

169

'법에 의한 살인'인 사형제도는 문명 국가에서는 있을 수 없는 것이지만

사람을 죽이지 말라고 법을 정했으면서

어째서 법으로 사람을 죽일 수 있는가?

워낙 범죄자가 많고 법을 두려워하지 않는 흉악범이 많은 미국이니만큼

타 타타 타타

사형집행을 통해 범죄자들에게 경고 하려는 의도라고도 할 수 있겠지.

나도… 사형될 수 있겠네….

사형 집행

미국 50개 주 가운데 사형제도가 없는 주가 13개이고(워싱턴 D.C. 포함)

사형제도가 없는 주

알래스카	미네소타
워싱턴 D.C.	매사추세츠
하와이	노스다코타
아이오와	로드아일랜드
메 인	버몬트
미시간	웨스트버지니아
	위스콘신

나머지 38개 주에서는 1977년부터 2001년까지 모두 746명에게 사형이 집행되었으며

사형 = Capital Punishment

2002년 1년 동안에만 무려 62명의 사형수가 형장의 이슬로 사라졌어.

2002년

62명

죄짓지 말라….

그 62명 가운데 자그마치 33명이 사형당한 주가 있는데

뭐야, 한 주에서 1년에 33명을 사형집행?

전국의 반이 넘는 도살장 같은 주 아냐?

EXECUTION

그곳이 바로 조지 W. 부시 대통령이 주지사로 있던 텍사스주였다고.

텍사스는 범죄자에 대한 무자비한 처벌로 유명한 곳으로

1977 ~ 2002년

미 전국 사형집행 746명 중 텍사스주

전국 단연 1위

34.3%

256명

2위 : 미주리주 53명

부시 대통령이 왜 테러에 대항해 극단적인 행동을 하는지 이해가 되지?

눈에는 눈 이에는 이

폭력엔 가차없이 응징을…

아무리 미국 시민의 안전을 보호하고 치안을 위해 어쩔 수 없는 것이라고 미국인들은 주장하지만

중국은 얼마나 많은 죄수를 사형시키는데….

사형제도가 남아 있는 한 미국은 비난에서 벗어나기 힘들 거야.

중국은 아직 발전 도상 국가인데

꼭 중국과 비교 해야겠니?

개인주의 사회인 미국의 문제 중 하나가 바로 '공공(公共)' 개념이 약하다는 거야.

공공
公共, Public

개인이아닌 모두의, 그 누구나의

'공공' 이란 사회의 혜택이 돈이 있고 없고를 떠나 모두에게 고르게 돌아가는 것을 말하는데

공공사회기관

교육기관　의료기관　사회시설 등

이는 국가나 공공기관이 있는 자에게 세금을 거두어서 없는 자, 약한 자에게 베푸는 것을 말해.

공립학교　보건소
빈민구제소　노인회관　장애자시설 등

공동체의식이 강한 나라에서는 이를 당연하게 여기는 데 비해서

없는 자, 약한 자는 국가가 보호해야 한다.

그런 일에 국민의 세금이 쓰이는 것은 정당하다.

국가

미국인들은 '공공' 에 대해 부정적 이지.

내 세금으로 게으르고 무능한 자들을 돌본다니!!

그래서 학교든, 의료기관이든 공공과 사립의 차이를 엄청나게 둔다고.

공립학교　사립학교

가령 학교의 경우 미국 공립학교는 국민의 세금으로 무료로 가르쳐주는 곳이야.

국민세금
학부모 기부금
공립학교

그러나 공립학교의 시설과 교육의 질은 천차만별이고

주, 도시의 재정형편에 따라

학부모 경제 형편에 따른 기부금에 따라

빈민이 사는 지역의 학교는 형편없기 그지없게 마련이라고.

학교인지 창고인지….

지원금이 적어 어쩔 수 없어.

미국 전체의 공립학교의 수준은 크게 떨어지는 게 현실이어서

그 중에도 좋은 학교가 있는 학군에는

어찌 알았는지 한국사람들이 바글댄다며?

자녀교육에 열성적인 부모들은 무리를 해서라도 자신의 아이를 사립학교에 보내.

명문 사립교 ➡

공공교육기관인 공립학교는 무료인 대신 질이 형편없다는 것이 국제적인 평판이지.

OECD 국가 중 학력이 최하위권

미국은 세계에서 가장 쉽게 직장에서 사람을 해고할 수 있는 나라야.

좋게 말하면 고용시장이 유연성이 있는 것이고

경기

직원수

나쁘게 말하면 주인 마음대로 직원을 헌신짝 버리듯 내팽개칠 수 있다는 것이지.

저 친구, 잡담만 하네. 당장 잘라야지!

우리나라의 경우는 조사대상 국가 60개 중에서 노사관계가 60등 꼴찌를 차지해* 노동조합에 일러 데모와 파업을 하겠소!

자네를 해고 시키겠네.

노동자 해고가 어려워 기업이 새로 사람 뽑기를 두려워하고

해고를 취소하라! 복직! 복직

둥둥 챙챙

외국투자자들도 한국에 투자를 꺼리는 첫 번째 이유가 되고 있어.

쟁취

노조 무서워 어디 투자 하겠나….

* 2004년 IMD 조사

이처럼 고용시장이 너무 경직되어 있어도 문제지만

노조 동의 없이 해고 불가!

인원감축 반대!

노동조합의 경영참여!

미국의 경우 인간이 과연 인간다운 대우를 받고 있는가 의심이 들 만큼

굽실 굽실

아, 예 보스!

무엇이든 인간중심이 아닌 기업중심 이어서 해고가 너무 쉽게 이루어지지.

불경기다. 직원의 반을 줄인다!

헉

고용주의 말 한마디로 언제든 직원의 일자리를 날려버릴 수 있어.

You are fired!

넌 해고야!

고약

그러니 어느 누가 직장에서 내집처럼 마음놓고 일할 수 있으며

억울하면 고소해. 흔해터진 게 변호사니까.

고액 연봉으로 스카우트할 땐 언제고….

평생 신명을 다 바쳐 일할 마음이 들겠어?

제길… 잘 먹고 잘살아라!

필요할 때는 엄청난 연봉으로
사람을 모셔가지만

스카우트!

이용가치가 떨어지면 즉시 쫓아내는
비정한 직장….

그러니 미국인이
상사에게 아부하지
않을 수 있나요?

미국에서는 '이 직장에서 나가달라' 는
해고통지서가 핑크빛이기 때문에

해고통지서

미스터 아무개
당신은 오늘 날짜로
해고되었음을 알려
드립니다.

연 월 일
사장 아무개

해고통지서를 '핑크 슬립' (Pink Slip)
이라는 은어로 부르고

핑크 슬립
=분홍색
팬티

=해고통지서

염라대왕보다
무서운 것!

미국의 직장인들이 가장 두려워하는
것이야.

핑크 슬립
날아왔어….

저런, 직장에서
해고당했구나!

누구나 다 그렇지만 특히 미국인에게
일자리를 잃는다는 것은 치명적이지.

I lost
my job….

우선 직장을 잃으면 부모, 형제는 물론
그 누구도 도와줄 이 없는 사회이고

참 안됐구나.

하지만 네 문제니
네가 해결해라.

당장 직장에서 들어주던 의료보험이
없어지니 병이 들어도 병원에 갈 수
없는 데다가

천문학적 치료비를 낼
돈이 어디 있어….

할부금을 갚을 길이 없으니 집도,
자동차도 모두 빼앗기게 돼.

알거지
신세….

미국인들은 18세가 되면 부모로부터
독립하여 스스로의 힘으로 살아가지.

MOVING

극히 일부를 빼면 자식 집을 사주고
돈을 대주는 부모는 찾아볼 수 없고

집 사주고 돈을
대줘? 키워줬으면
됐지.

주고 싶다고 해도
그럴 돈이 있나?

미국인들은 사실상 맨손으로 모든
것을 시작해야 해.

집도 장만해야
하고

자동차는 반드시
있어야 하고….

* 모기지론(Mortgage Loan)

미국 사회의 가장 심각한 문제 중 하나가 바로 범죄가 많다는 거야.

미국의 대도시치고 해가 진 후 혼자 시내를 산책할 수 있는 도시가 드물 정도로

살인, 강도, 유괴 등 온갖 범죄가 들끓고 있는 나라지.

2001년도 범죄건수가 무려 1,200만 건에 육박하고*

전체	11,849,006건
살인	15,980건
강간	90,491건
강도	422,921건
폭행	907,219건
절도	7,076,171건
차량절도	1,226,457건

* 브리태니커 2004 백서(Almanac)

현재 약 140만 명이 감옥에 갇혀 있어.

감옥을 유지하는 비용이 전국 주립 대학 유지비용과 맞먹을 정도라고.

이처럼 높은 범죄율은 물론 빈부의 차이가 극심하여

세계에서 가장 잘사는 나라의 하나인 미국에 무려 3,000만 명에 이르는 극빈자가 있어.*

* 18,244달러 이하의 소득자

부가 일부 부유층에 독점되다시피 한 이유도 있지만

미국은 총기를 구하기가 세계 그 어느 나라보다 쉬운 나라라는 데 더 큰 이유가 있지.

총이 없으면 쏘고 싶어도 못 쏘지만

총을 지니고 있다는 것 자체가 충동적으로 쏠 가능성이 훨씬 더 높은 거 아니겠어?

미국에는 주유소보다 많은 총포점이 있어서

21세 이상만 되면 신분증만 보여줘도 미국인은 물론 외국인도 손쉽게 총을 살 수 있어.

권총 한 자루 주세요.

새로 나온 제품으로 성능이 끝내줘요.

이 무서운 총기가 어떻게 이처럼 아무렇지도 않게 가게에서 사고 팔리는 걸까?

20% 세일하고 있습니다.

미국의 수정헌법 2조는 미국민의 총기 소유를 법적으로 허용하고 있지.

Amendment II

A well regulated Militia, being necessary to the security of a free States, the right of the people to keep and bear arms, shall not be infringed.

'규율정연한 민병은 자유로운 주의 안전을 위해 필요하므로, 무기를 소장하고 휴대하는 인민의 권리는 침해될 수 없다.'

Militia
민병대

이 같은 수정헌법이 만들어진 것은 200년이나 된 호랑이 담배 피우던 시절이고

서부개척 시대 인디언이나 산짐승의 공격으로부터 자신을 보호하기 위한 것이었다고 해도

인디언이닷!

와

국경이 확정, 나라가 안정되고 인디언이나 짐승의 공격도 사라진 데다가

웬 인디언 공격?

맹수는 동물원이나 자연공원에 있지….

헌법에 명시된 '민병대'란 것도 1900년경에 자취를 감추었는데

민병대

1900년경 사라짐

연방군

주방위군

정규 군만

굳이 수정헌법 조항들을 들먹여 가며 총기 소장을 우기는 이유가 무엇일까?

헌법

범죄가 극성을 부리던 1990년대 초, 3년간 총기사고나 범죄로 죽은 사람의 수가

60,000명 이상

7년간의 베트남전쟁의 전사자보다 많다는 충격적인 사실에도 불구하고 말이야.

베트남 전쟁 전사자

58,000명

179

워낙 총기사고가 자주 나고 희생이 커지자

1993년 11월 브래디법이 제정되어 총기거래에 약간의 규제가 가해졌어.

이대로는 도저히 안 되겠다!

Brady Act 1993 총기거래규제법

이 법은 총기판매에 5일간의 심사 기간을 두어

총을 사고 싶은데요.

법이 바뀌어 5일 뒤에 팔아도 되는지 알 수 있어요.

구입 희망자의 범죄경력

마이클 워터맨
1980년 11월 2일생
주소:비벌리힐스 LA
캘리포니아

전과경력 : 없음

정신장애 유무를 확인한 뒤에야 총기를 팔 수 있다고 규정했지.

에헤헤..

탕 라랑 탕 탕

또 총기를 집 안에 보유하는 것은 자유지만

총기를 휴대하고 집 밖을 나서려면

시 보안국(Sheriff Department)에서 총기휴대허가증을 받아야 해.

Sheriff Dept.

그러나 이 정도의 법으로 미국의 총기 문제가 나아지는 것은 결코 아니야.

콜트 45구경이지.

슈퍼마켓에서 청량음료 사듯 총기 매매가 자유로운 나라에서 총기 범죄가 안 나기를 기대하긴 어렵겠지?

GUN SHOP

언제 강도가 침입할지 몰라 집 안에 총을 두고 사는 사회 미국.

Who's there?

누구야?

맹수의 공격에 대비하여 총을 들고 있어야 하는 정글과 무엇이 다르지?

미국이 안고 있는 또 하나의 심각한 문제, 그것은 인종갈등 문제야.

인 종 갈 등

미국은 지구상의 모든 종류의 인종이 함께 모여 사는 나라이고

인종 박람회장 USA

그 절대다수가 유럽에서 건너온 백인들로 75%를 차지하고 있어.(2000년)

기타 25%
백인 75%

물론 백인들도 복잡하기 그지없는 민족으로 구성되어 있지만

켈트계 슬라브계 라틴계 게르만계

그리고 미국 인구에서 백인의 비중이 차츰 떨어지고 있지만

백인 80.3% 75.1%
흑인 12.1% 12.3%
아시안 2.8% 3.6%
1990년 2000년

이들은 미국사회의 주류세력을 이루며 소수민족보다 훨씬 많은 혜택을 누리며 살고 있지.

백인 아시아계 라티노 흑인

백인 다음으로 수가 많았던 흑인은

2002년 히스패닉이 흑인 수를 앞질렀다!
히스패닉
흑인
2002년

상대적으로 큰 불이익과 차별대우를 받았는데

부글 부글

그들에게 쌓인 한과 불만은 언제라도 터질 수 있는 폭탄과도 같다고.

퍽
RACE DISCRIMINATION 인종차별

1862년 링컨이 노예해방을 선언 했음에도

The Emancipation Proclamation
노예해방선언

법적으로 흑인들이 권리를 얻기 위해서는 100년 이상 기다려야 했고

차별 대우

지금도 보이게, 보이지 않게 인종 차별을 당하는 처지에서 벗어나지 못하지.

쓰썹, 쏴즈 썹, 맨…
Oh, waz up, man*

차별 대우

* SLACKS = Slang+Blacks
흑인들의 속어

백인들이 흑인을 차별하는 대표적 예가 바로 '순수혈통론'이야.

Pure Blood

이는 아무리 외모가 백인이며, 흑인의 피가 전혀 안 섞이다시피 했어도

외모는 100% 백인인데….

단 한 방울의 흑인 피가 섞였으면 백인이 아닌 흑인으로 인정한다는 원칙이지.

백인 흑인의 피 흑인

알 수 없는 선조대에 섞인 단 한 방울의 흑인 피로 인해

백인사회가 아닌 흑인사회로 편입되어 많은 불이익을 당해야 해.

흑인들의 쌓이고 쌓인 불만과 분노는 종종 폭동으로 터지곤 하는데

와 와

이러한 미국의 인종폭동(Race Riot)을 자칫 흑인폭동으로 오해하여 흑인이 일으킨 것으로 잘못 아는데

대부분의 경우, 백인들이 먼저 도화선에 불을 붙이거나

건방진 검둥이 녀석들!

흑인들을 공격하여 터진다는 사실에 유의해야 해.

1차 대전 이전의 인종폭동은 대부분 노예가 많았던 남부에서 일어났는데

워낙 인종차별이 심했던 곳이라….

남부

일시적이고 소규모로 끝나던 것이

펑

1차 대전 이후에는 북부 대도시에도 자주 대규모로 터져 나왔어.

와 와

최근 미국 통계국은 백인들이 섬뜩해할 만한 전망보고서를 발표했어.

2050년에 이르면…

US Today

미국 인구 중 백인이 50%로 줄고 히스패닉계가 25%에 달하게 될 것이다.

백인 75%
히스패닉 13%
2004년

백인 50%
히스패닉 25%
2050년

이렇게 되면 '아메리카합중국' 이 아니라 '히스패닉합중국' 이 되는 게 아니냐?!

USA ↓ USH* ???

* United States of Hispanics

에스파냐어를 쓰는 남아메리카계의 히스패닉이

아미고!

USA

백인을 위협하는 새로운 미국의 주류로 떠오르고 있다는 얘기야.

이들의 인구증가율은 놀라울 정도로 빨라 매년 3%나 되는데

바글 바글

다른 인종 평균(0.3%)의 10배나 된다고.

히스패닉은 거의 100% 카톨릭교도

교황님이 인공적인 피임은 하지 마라 하셨다!

주간지 〈비즈니스위크〉*의 보도를 보자.

인구변동 속도가 이처럼 빨랐던 것은 미국 역사에서 처음이다.

히스패닉

슝

* 2004년 3월 15일자

2004년 기준으로 미국에 사는 히스패닉계는 약 4,000만 명이며, 이중 800만~1,000만 명은 불법체류자인데

약 1,460만 명   3,880만 명

불법체류자   흑인 3,830만명   불법체류자

1980   2002. 7

히스패닉계

인구통계국 분석에 따르면 2018년께 캘리포니아주에서 히스패닉은 소수 집단이 아닌 최대 주류집단이 된대.

엘니뇨!*

* 어린이, 꼬마

히스패닉계 인구 팽창 속도가 점차 빨라지자 이들을 겨냥한 산업도 급성장하여

Mercado
GRANADA
그라나다 시장

Panadería*

Carnicería*

Pescadería*

Relojero*

* 빵집/정육점/생선가게/시계점

유명회사들은 에스파냐어로 광고를 만들거나 이들을 겨냥한 상품이 쏟아져나오고 있어.

여기가 미국 맞아?

¡Muy bien!
Serveza Corona!

185

언론에서도 에스파냐어의 비중이 커지고

지난 13년간 미국내 영어신문 11% 감소

에스파냐어 신문 3배로 늘어

ENGLISH

ESPAÑOL

히스패닉계 인구의 증가는 곧 표로 직결

대통령선거인단 선거

하원의원 선거

상원의원 선거

VOTE

히스패닉계가 미국 정계에 미치는 영향력은 날로 막강해지고 있지.

정치를 한다면서 우리를 무시할 수 있나?

아…

200년 대통령선거에서 조지 W. 부시 후보가 앨 고어 후보를 근소한 차이로 누른 것은

조지 W. 부시 (공화당)		앨 고어후보 (민주당)
50,456,141	총득표수	50,996,039
271	선거인단 수	266

히스패닉계 거주지에서 부시 표가 많이 나왔기 때문이라는 분석처럼*

부시 후보 동생인 플로리다 주지사의 부인이 멕시코인이지?

부시를 밀자!

앞으로 히스패닉계가 미국대통령의 당선까지도 좌우할 열쇠를 쥐고 있단 얘기야.

어디에다 얹어줄까?

공화당

민주당

히스패닉 표

* 샌타바버라 연구소

미국의 백인들이 지닌 두려움을 대변하듯 하버드대 새뮤얼 헌팅턴 교수가 '신문명 충돌론'을 들고 나왔다.

히스패닉

앵글로-색슨

헌팅턴은 2004년에 펴낸 책에서 히스패닉과 신문명 충돌의 위험을 말했지.

S. Huntington

새뮤얼 헌팅턴의

미국

WHO ARE WE?

"현재 미국이 처한 최대의 위기는 라틴 아메리카에서 유입되는 기하급수적인 이민자로부터 기인한다!"

USA

남미 이민자

헌팅턴 교수는 히스패닉계 이민자의 위험성을 다음과 같은 이유를 들어 설명하고 있어.

여섯 가지 이유가 있다!

첫째, 근접성(近接性). 미국과 가까운 지역이 남아메리카이므로

미국

멕시코

남아메리카

미국으로 넘어오기가 쉽다.

* 리처드 셍크먼의 저서에서 인용

신용이 생명이다!

미국인들이 살아가는 방법

우리나라나 일본과 같은 이른바 민족국가들과

한민족의 나라

일본민족의 나라

미국, 캐나다, 또는 오스트레일리아 같은 이민국가의 가장 큰 차이점은 무엇일까?

여러 민족들의

삼선짬뽕!

그것은 바로 민족국가 국민들은 서로 동질성을 지니고

어르신, 안녕 하셨습니까?

오냐.

설명하지 않아도 누구나 알고 있는 '국민정서' 라는 것을 지니는 데 비해

왜 젊은이는 늙은이에게 머리를 조아립니까?

너무 당연한 걸 묻고 있네!

이민국가 국민들은 워낙 다양하고 복잡한 구성으로 인해

알라~!

공자!

야훼! 메시아

아바지!

시바 신!

부처

상대적으로 동질성을 느끼는 정도가 크게 떨어진다고 할 수 있지.

???

!!!

윤리와 도덕뿐 아니라 가치관에 있어서도

어른을 공경해야 하나요?

민족국가 국민들은 공통성을 지니지만

그야 당근 이쥐!

장유유서도 몰라?

그것도 말이라고 하냐!

이민국가 국민들은 서로 다르고 다양해.

어른도 어른 나름이지.

어른은 대접 해줘야 해.

어른보다는 여성, 어린이 먼저!

민족국가 국민들은 성격이 다양하다 고는 해도 서로 공통점을 지니므로 비슷한 면이 강한 데 비해

워낙 서로 다른 인종과 민족이 모여 사는 이민국가 국민들은

민족국가 국민들에 비해 서로 충돌 하고 마찰을 일으킬 가능성이 훨씬 높을 수밖에 없어.

아야야~

이러한 충돌은 서로가 조심하더라도 언제나 피할 수 있는 건 아니야.

좀 조심할 수 없어?!

누가 일부러 그랬나?

불필요한 충돌과 갈등을 최소로 줄이기 위해서는

우리는 근본적으로 다른 걸 어떡해?

남에게서 피해를 받지 않고, 남에게 피해를 주지 않도록

대책이 필요하다!

USA

자신의 주위에 '보호막' 을 치는 것이 최선의 방법이지.

'보호막' 이란 자신을 보호하기 위해 자신을 감추고 둘러싸는 막이므로

서로 침범하지 말자.

자신의 본모습과 솔직한 마음을 남에게 보여주지 않는 방법이야.

솔직히 말해 당신 기분 나빠!

저런 심한 말을 해도 되나?

모든 사람이 자신의 주변에 보호막을 치고 사는 사회는

불필요한 갈등을 크게 줄일 수는 있어도

상대방에 대한 믿음이나 '정' 으로 문제를 해결하기보다

우리가 남이가?

정

원칙과 법으로 문제를 해결하는 차가운 사회라고 할 수도 있겠지.

법 원칙

그래서 미국인들의 사람 대하는 태도가 겉으로는 따뜻해 보여도

WOW! 와우! phantastic! Glorious Great! Splendid Wonderful!

뒤돌아서는 순간 언제 그랬냐는 듯 바뀌는 것도 이런 까닭이야.

안면몰수

겉 다르고 속 다른 미국인!

모든 사람이 보호막을 치고 살아가는 미국 사회의 원칙은

들어오지 마시오.

근본적으로 '불신(不信)'을 전제로 한다는 거야.

난 너를 믿을 수 없어.

네가 누군지, 어떤 사람인지 알 게 뭐야.

하지만 살아가기 위해선 서로 거래도 하고 경제관계를 유지해야 해.

집 빌립시다.

그러슈.

RENT

그런데 다국적, 다민족, 온갖 종류의 인간이 다 몰려 사는 이 사회에서 누가 누구를 믿을 수 있단 말인가?

사기꾼은 아닐까?

집세 떼어먹을 작자 아닐까?

믿을 것은 오로지 법, 그리고 제도적으로 확인된 신용뿐이다!

信用
신용

신용(信用)—믿을 수 있음의 척도. 미국에서는 이것을 크레디트(Credit)라고 해.

CREDIT

신용·신뢰의 가능성
확실성
이수증명/이수단위(교육)

이는 인간이 인간을 마음으로 믿는 신용(Trust)이 아니라

나는 친구로서 인간 김말동이를 믿는다!

국가나 특정기관에서 믿을 수 있음을 확인해준 '점수'를 얘기하는 거지.

서류상으로 신용불량 경험도 없고, 학교 성적도 양호한 데다 근무성적도 78점이군요.

미국에서는 학교 성적도 크레디트라고 부르고

수학 크레디트 A
=A학점

=그의 수학실력은 A급임을 확인함

TOM BAILEY
ENGLISH
MATH (수학)
SOCIAL STUDY
GYM

은행에서 받는 신용카드도 크레디트카드이고

크레디트카드

우리 은행은 이 사람이 돈 내는 것을 보장합니다.

INTERNATIONAL
제일은행 SKYPASS
KOREA
B CARD
First Gold
4553
4553 BK5 8545
BC
JON BO RH1E
VISA

한 사람의 신용도를 또한 크레디트라 하여

그 사람 크레디트 있어?
=확실히 돈 낼 보증이 된 사람이야?

크레디트란 미국에서 생명 다음으로 중요한 것으로 여겨져.

CREDIT

크레디트 히스토리란 현금보다도 중요할 때가 많아.

CREDIT HISTORY
신용경력

가령 자동차를 사는 경우를 보자고.

자, 계약합시다.

2만 2,000달러에 세금 7.75%입니다.

어떻게 지불하실 겁니까? 36개월 할부로 하시겠어요?

할부는 번거로우니 현금 일시불로 내겠습니다.

이런 경우 자동차 판매 직원은 묘한 표정을 짓게 마련이야.

역시 아시아인들이 돈 많아.

자동차를 전액 현금 내고 사는 미국인은 없는데….

현금으로 사는 경우에는 할부로 살 때 매달 내야 하는 이자를 안 내는 점은 좋지만….

크레디트가 쌓이지 않는다!

1회 거래에 끝남

할부로 사서 매달 정확히 할부금을 내는 것이 크레디트 히스토리에 결정적인 기록이 되는 거야.

자동차값 22,000$
세금 7.25%
이자 연 7%
할부 36개월

매달 할부금 약 800달러

2001. 2. 25
001. 3. 25
4. 25

크레디트 포인트가 차곡차곡 쌓여

집값도 매달 꼬박꼬박

자동차 할부금도 꼬박꼬박

크레디트 포인트

믿을 만한 사람으로 인정되면 비로소 크레디트카드가 발급되는데

드디어 나왔다!

미국에서 크레디트카드란 말 그대로 '신용카드' 여서, 이것을 지닌 사람은 믿을 만한 사람으로 경제적인 검증을 받은 사람이란 뜻이지.

이사람은 믿어도됨.

카드회사에서는 신용카드를 발급해 주기 전에 여러 가지를 꼼꼼히 따져.

자칫 잘못 내줘 마구 긋고 갚지 못하면 고스란히 우리가 물어줘야 되니까요.

AMEX
MASTERS
GOLD
DINERS
CITI
Deutsche Bank
BOA
VISA
Platinum

직장이 어디고 근무년수는 얼마나 되며 소득은 얼마인지

John. K

보스턴 출생
1980. 4. 2.
통신회사 AOL 입사
2004년
연봉 40,000달러

자기 집이 있고, 또 몇 년이나 살았는지는 기본이며

아직 주택 보유 못함
월세 1,200달러
원룸 거주(1년째)
자동차 36개월 할부 구입

미국에서 신용카드가 경제적인 생명이라면

나 신용카드 없어.

경제적인 무능력자군.

운전면허는 이동의 자유를 보장해 주는 또 하나의 생명과도 같아.

미국 사람들의 지갑에는 반드시 두 개의 카드가 들어 있는데 그것이 바로 신용카드와 운전면허증이지.

미국은 넓디넓은 대륙의 나라이고

대한민국의 90배

900만 km²

그 넓은 땅에 고르게 퍼져 살고 있는 국민이기 때문에

29
35
24
캔자스
70
70
토피카
시티
71
35
69
65
335
54

자동차 없는 미국 생활이란 상상하기 어려워.

인구가 밀집해 있는 대도시에서는

지하철, 버스 등의 대중교통을 이용하는 시민들도 많지만

Subway

Bus
Taxi

조그만 도시나 지방에서는 모든 이동을 자동차로 할 수밖에 없어.

수지가 맞지 않으니 버스도 아주 드문드문 다녀서

BUS

자동차가 없는 사람이나 노약자가 이용하기는 하지만

BUS

불편하기가 이루 말할 수 없을 지경이야.

요금도 엄청 비싸고

한 시간에 한 대 정도 지나가니….

BUS

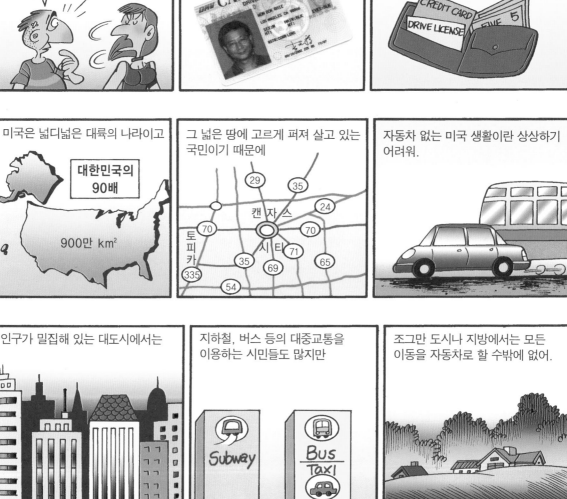

미국 주택가에 가보면 우리나라와 가장 다른 점이

부동산	학 원	노래방
땡이 땅호아	팻 나폴리	케잌
맘 분식	통닭·맥주	사랑수퍼

바로 가게들이 전혀 없다는 사실이야.

미국에서는 대개 쇼핑몰이라고 하는 곳에 가게들이 한데 몰려 있어서

Shopping Center ← 3 Mile

휴지 한 통, 껌 한 개를 사려고 해도

앗, 휴지가 떨어졌네.

수 km 떨어진 쇼핑센터나 쇼핑몰에 가서 사야 해.

SHOPPING MALL 2M.
OUTLET 4M.
SHOPPING CENTER 1M.

그 먼 거리를 걸어서 갔다 올 수는 없고

핵 핵

휴지 사러 3천 미터…

빵 하나를 사러 가는데도 자동차를 타야 하기 때문에

부르릉

자동차란 미국인들에게 신발과도 같은 생활필수품이며

자동차 = 신발

없으면 못 나간다.

미국의 발전 또한 자동차의 이용을 전제로 한 것이었던 만큼

직장에서 차로 1시간 거리에 살아.

차가 없다는 건 상상할 수 없겠군.

미국인과 자동차는 떼려야 뗄 수 없는 밀접한 관계를 맺고 있는 거라고.

이런 나라에서 운전면허증이 없는 사람은

신용카드 없는 사람과 마찬가지로 상상할 수 없을 만큼의 불편을 각오해야 해.

버스, 택시, 지하철….

아니면 자가용 비행기?

* Si'l vous plaît : please

* 어서 오십시오.

* 나는 지금 바쁘다는 뜻

영업시간이 끝나면 어김없이 계산대를 막아버리기 때문에

어, 이거 계산 좀….

CASHIER

자칫하다가는 돈이 있어도 물건을 살 수 없게 되는 경우가 많아.

미안합니다. 영업 끝났어요.

이래서 유럽에서는 서비스의 경쟁력이 떨어진다고 큰 걱정들이지만

종업원이 왕인지 소비자가 왕인지.

어디 세계와 경쟁이 되겠소?

미국의 경우는 오히려 정반대라고.

종업원도 소비자이다! 소비자도 종업원이다!

소비자는 왕이다! 뭐든지 소비자 위주다.

유럽

USA

유럽은 물론이고 우리나라에서도 은행들이 토요일엔 문을 닫는데

BANK

토·일요일 휴무

참, 오늘 은행이 노는 날이지….

서비스산업의 상징과도 같은 미국의 은행들은

BANK OF AMERICA

CITI BANK

CHASE MANHATTAN

COMMERSE BANK

토요일에도 저녁까지 문을 열고

토요일 오후에도 문을 여네요.

고객이 필요로 하면 저희는 언제나….

심지어 일요일에도 여는 곳이 있을 정도로 서비스전쟁을 벌이고 있어.

WE ARE OPEN SUNDAYS BANK

가게들이 일요일, 휴일에 문 닫는다는 것은 미국에선 상상도 못할 일이고

평일엔 쇼핑할 시간이 없잖아요.

오히려 쇼핑객을 끌어 모으기 위해 대대적인 휴일 쇼핑 광고를 하지.

INDEPENDANCE DAY BIG SALE 독립기념일대세일 50% OFF Clearance Sale

ESTERN SALE

BUY 1 GET 2 하나사면 두개 드립니다

소비자 입장에서야 아무 때나 쇼핑할 수 있으니까 좋겠지만

유럽에 비하면 미국은 쇼핑천국!

뭐든지 너무 편리하다….

소비자가 곧 종업원이 될 수 있다고 거꾸로 생각할 수도 있는 문제야.

네가 종업원이라면 일요일, 휴일에도 못 놀잖아?

돈이야 더 주겠지만….

미국에서 물건을 샀을 때 놀라는 것 가운데 하나가 리펀드(Refund) 제도가 완벽하다는 거지.

구매
BUY

환불
REFUND

리펀드란 물건을 돈과 되바꾸는 것, 그러니까 '무르는 것' 으로

RETURN

어떤 물건이고 무르고 돈을 되돌려 달라면

물러주세요.

RETURN

이유를 묻지 않고 군말 없이 돈을 되돌려줘.

RETURN

물론 소모품이나 복사가 가능한 CD 같은 것은 한 번 개봉하면 반품이 안 되기도 하고

POP! HIT

오리지널 포장을 뜯으면 환불이 안 됩니다.

간혹 반품사유를 묻는 경우도 있어.

왜 돈으로 돌려달라고 하시는 거죠?

그러나 어떤 이유를 대든 반드시 돈은 돌려주도록 되어 있지.

그냥 맘에 안 들어서요.

알겠습니다. 리펀드해드리죠.

이 제도는 불량품으로부터 소비자를 보호하기 위한 법적 제도이기도 하지만

불량품이니까 돈 돌려줘요.

다른 걸로 바꿔 드려도 돈은 못 돌려드려요.

사실 종업원이나 사장이나 돈 돌려 줘서 손해 날 것은 없기 때문이지.

내 돈 돌려주는 것도 아닌데

거절할 이유 없지!

본사에 반품하면 그만이지.

제조회사에 반품해버리면 그만이지.

판매점   **본 사**

별것도 아닌 것 가지고 툭하면 반품이라니….

반품 때문에 이익이 줄어드니, 가격에 반품 비용도 포함시키자.

반품비용

제조회사   **생산원가**

그러니까 일본 상품 가격에 미소, 친절 값이 얹혀 있듯, 미국 상품 가격에는 반품 가격이 포함되어 있는 셈이라고.

반품가격
세금
원가

* Jacques Cartier(1491~1557)

미국에서는 쾌락을 좇는 것이 거의 죄악처럼 혐오의 대상이 되고 있어.

경건· 엄숙· 기도 절제

술을 예로 들어볼까?

'금주령' 이라는 인류역사상 유일한 법을 만들었던 나라답게 술은 '악마의 유혹' 같이 취급돼.

NO!
유혹을 떨쳐라!

미성년자에게 술을 판매하는 것은 엄격히 금지되어 있음은 물론이고

19세 이하는 안 돼요.

일반 편의점이나 수퍼에서는 아예 맥주조차 팔지 않는 경우도 허다하지.

무슨 슈퍼가 맥주도 안 파냐?

여긴 미국이야.

포도주, 위스키를 비롯한 술은 리커 스토어라는 주류 전문점에서 취급하고

술은 보이지 않게 반드시 종이 봉투에 담아 가지고 다녀야 해요.

술에 취해 거리를 비틀거리며 걷는 사람들은

미국 사회에서는 인생의 낙오자나 최하류급 인간으로 취급되기 십상이라고.

쯧쯧… 불쌍한 인생 같으니!

술을 마시는 것은 자유지만, 자동차에 술을 싣고 다니다가 자칫 낭패를 보는 수가 있어.

뚜껑이 일단 열린 적이 있는 술병이 자동차 앞좌석에 놓여 있으면

난 술 한 방울도 안 마셨는데요.

술을 마시지 않았어도 음주운전으로 호된 범칙금을 물게 되는 등

음주운전!

어떻게든 술을 구하거나 마시기 까다롭게 해놓아서 귀찮아서라도 덜 마시게 만들었지.

인간의 쾌락 추구 가운데 가장 빠르고 직접적인 방법이 약물이지.

헤롱 헤롱

모르핀, 코카인 같은 이른바 강력한 마약이 있고 LSD 같은 합성 환각제가 있는가 하면

강력 마약
Hard Drugs

대마초 같은 중독성이 약한 식물도 많은 젊은이들의 정신을 병들게 하는 약물이야.

연성 마약
Soft Drugs

어느 나라나 이런 것을 '향정신성 약물' 이라 하여

꼼짝 마라, 마약 단속반이다!

쾅

지위고하를 막론하고 매우 엄하게 다스리고 있어.

마약은 전세계적으로 모든 나라가 총력을 기울여 막으려고 하지만

마약

복잡한 현대생활의 스트레스로 인해 젊은이들 사이에 들불처럼 번져나가 심각한 사회문제가 되었지.

마약에 대처하는 방식도 여러 가지가 있지만

초강력 단속

단절 유도

유럽의 경우에는 무조건 초강력 단속 일변도였다가

마약

1980년대부터 네덜란드를 중심으로 서서히 완화정책으로 돌아서기 시작했어.

무조건 때려잡는다고 될 일이 아니다.

마약

강력단속만 하니 지하로 마약이 스며들어 범죄조직이 개입하고, 약값이 크게 비싸져 중독자들이 범죄의 길로 빠져들었거든.

범죄를 막고 중독자들의 인권을 보호하기 위하여 약한 마약은 국가관리 아래 서서히 밀어질 수 있도록 도와야 한다.

그러나 청교도적 엄격함이 원칙인 미국의 경우

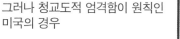

마약에 대해 혹독하리만큼 엄격하게 대응하여

뿌리가 살아 있는 한 그걸로는 안 돼요.

'마약과의 전쟁'을 선포하고 미국 사회를 좀먹는 마약을 뿌리 뽑겠다고 나섰어.

국내 마약거래 조직과의 전쟁은 물론

심지어 미국에 팔 마약을 재배하고 만든다는 이유로 콜롬비아 등 남미 국가들에

국경

미국 군대를 보내 토벌작전을 벌이는 등 '내정간섭'까지도 마다하지 않아.

여긴 우리나라인데

마약 범죄자가 숨어 있다구!

국경

그러나 미국의 어느 도시에서든 뒷골목에서 얼마든지 마약을 살 수 있으므로

마약과 환각제에 중독된 젊은이들이 날로 늘어가고 있지.

마약에 대한 혹독한 처벌과 단속으로 거래하기에 커다란 위험이 뒤따르니 값은 엄청나게 비싸져

이를 구하기 위해 중독자들은 점점 범죄자 집단이 되어버리는 악순환이 계속되지만

미국 정부는 마약에 대한 단호한 입장을 더욱 강화하고 있어.

No mercy!

마약에 자비는 없다.

어쨌든 미국에서는 마약 근처에만 가도 혼쭐나게 되어 있지. 현실에선 마약이 날로 번져가고 있지만.

나는 심부름만 했는데….

땅 땅 땅

마약소지죄 징역 2년

인간의 쾌락 가운데 빼놓을 수 없는 중요한 것 중 하나가 바로 남녀관계, 즉 성(性)이야.

같은 서양이라도 서유럽 나라들은 개방적이고 자유로운 성윤리를 지닌 데 비해

미국은 역시 엄격한 청교도적 윤리를 기본으로 보수적인 성윤리를 지녔지.

결혼 전에 성관계를 갖는 것을 부도덕하게 보는가 하면

유럽에서는 너그럽게 보는 동성애나 동성결혼에 극히 부정적이며

임신 중에 아기를 '지우는' 낙태, 즉 임신중절은 엄격하게 금지되어 있어.

낙태는 살인!

절대불가!

이처럼 자유로운 성에 대해 지극히 보수적이며 엄격하게 억제하는 미국이지만

청교도 윤리

성

미국 젊은이들 사이에는 건전하지 못한 성관계로 전염되는 무서운 에이즈(AIDS)가 창궐하여

AIDS (후천성면역결핍증)

'현대의 흑사병'이라며 21세기 인류의 재앙이라고까지 해.

14세기, 유럽에서 전 인구의 4분의 1이 흑사병으로 죽었다!

2,500만 명 사망!

까악

까악

14세기 유럽

또 10대 미혼모가 헤아릴 수 없이 많아져 심각한 사회문제인데

자꾸 배가 불러와요.

특히 가난한 흑인소녀들이 10대에 아기를 가져 더욱 문제가 되고 있지.

정부 보조금 없으면 우린 굶어 죽는다.

욕구란 억누를수록 그 반발도 커지고 바람직하지 못한 방향으로 분출되게 마련인데….

그래도 우리는 엄격한 청교도 정신을 존중, 또 존중한다!

215

보수적이고 엄격하며 욕망의 억제를 요구하는 미국 사회에서

하늘에 계신 아버지 이름이 거룩히 여김을 받으오시며…

인간의 자연적 욕구는 크게 억눌리고 있지만

담배는 안 돼.

술도 마시지 마라.

약물은 절대 엄금.

섹스도 절제 있게.

딱 한 가지 무한대로 허용된 것이 있으니 그게 뭘까?

OK

바로 먹는 거야!

COLA

먹는 것 가지고는 미국에서 아무도 뭐라 하거나 시비 거는 사람이 없어.

모든 물자가 풍요로운 미국인 만큼, 먹을 것도 넘쳐날 정도로 풍족해서

식당에서 주는 음식의 양은 혼자 다 못 먹을 만큼 많아.

이걸 다 먹는 사람도 있나…?

그러나 미국의 음식값은 차이가 커서

FOOD COURT
PIZZA
HAMBURGER
FRIED CHICKEN

Restaurant
à la carte
MAXIM

식당에서 종업원의 서비스를 받으며 입에 맞는 메뉴를 골라 먹으면

애피타이저…, 안심스테이크…, 카베르네 소비뇽.

MENU

보통 서민들은 큰맘먹지 않으면 결코 자주 갈 수 없을 정도로 비싼 값을 내야 해.

둘이서 와인 곁들여 먹었더니 100달러가 넘네! + 팁….

$115.-

반면에 값이 싼 패밀리 레스토랑이나

| T.G.I.F |
| COCOS |
| SIZZLER |
| BENIGANS |
| TONI ROMAS |
| DENIS |

1인당 20~30달러….

피자, 햄버거 등 패스트푸드점의 음식은 기름지고 온통 칼로리투성이인 비건강 식품이거든.

패스트푸드란 손가락으로 먹는 핑거푸드(FF)

기름·세금·소금

216

또한 미국인들이 크게 애착을
가지는 것이 바로 자동차야.

별다른 낙이 없이 평일에는 열심히
일하고

WORK

WATCH
TV

주말이나 휴일, 휴가 때면 차를 몰고
자연을 찾아 나서는 게 미국인들의
가장 큰 낙이지.

땅덩이가 커서 외국에 가지 않아도
모든 것이 다 나라 안에 있다 보니

* 요세미티 국립공원

자동차에 낚시도구, 자전거, 텐트를
싣고 먼 거리까지 놀러 다니는 등

* 러슈모어산

자동차란 미국인의 삶에서 가장
소중한 것이 아닐 수 없게 되었어.

* 그랜드캐니언

자동차는 자연히 이동 수단을 넘어
신분을 상징하는 징표처럼 되어

그 사람이 무슨 차를 타느냐로
신분을 판단하게 되고

저 친구 롤스로이스
몰고 다녀.

와, 엄청
출세했구나!

특히 도이치산 BMW는 미국 흑인들의
'꿈의 자동차' 이자 성공의 상징이라는군.

BMW =Black Men's Wish

어쨌든 세계 모든 인종과 민족이 사는
미국이라는 나라는 자기 분수를 알고

서로 남의 영역 침범 말자.

법을 존중하며 큰 욕심만 내지 않으면

무슨 일 생기면
변호사부터
찾아야…

정계에서 두각을
나타내겠다!

그 누구도 간섭하지 않는 자유롭고
풍요로운 나라임은 누구도 부정할
수 없을 거야.

욕심벌리면…

야 살기좋은 나라!

USA

유대인을 알아야 미국이 보인다

미국을 움직이는 막강한 세력, 유대인

'그대 날개의 그늘 밑에 나를 숨겨주오.' (시편 17장 8절)
미국의 유대인들이 동유럽에서 건너온 형제들을 팔을 벌려 환영하고 있다.
20세기 초의 그림.

세계의 모든 민족국가들 가운데

한국=한민족의 나라

중국=한(漢)민족이 95%인 나라

본국보다 해외에 더 많은 동포가 나가 살고 있는 민족이 딱 하나 있으니

세계에서 가장 많이 퍼졌다는 중국 화교가 4,000만 명으로

13억 인구인 본국의 0.3%인데

바로 유대민족이다.

이스라엘은 인구 620만 명

유대인 650만 명!

USA

나라 없는 민족 유대인은 고향인 팔레스티나에서 BC 70년경 로마인에게 쫓겨난 뒤

2,000년 가까이 전세계에 퍼져갔다.

중부유럽

서유럽

동유럽

미국

팔레스티나

아시아

아프리카

인디아

중국

유대민족은 아프리카에서부터 중국까지 진출한 민족으로

오라는 데는 없지만

이리저리 쫓겨 다니다 보면….

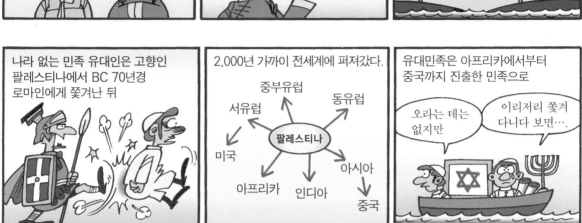

유대인은 중국인과 더불어 전세계 방방곡곡 그 뿌리를 내리지 않은 곳이 없는 민족이지.

JEWS Juden Juifs

전세계에서 오직 한국만이 유일하게 유대인이 뿌리를 내리지 못한 곳이야.

차이나타운이 뿌리 못 내린 나라,

유대인이 정착하지 못한 나라는

오직 한국 뿐이다!

한국

어찌 보면 두 민족은 전세계에서 가장 '지독한' 민족일지도 몰라.

세계 모든 곳에 뻗어나갔다.

그런 유대인을 막았다!

억척스럽고 부지런하기로 둘째가라면 서러워할 한국인들이

헝그리정신으로 무장하고

오기와 투지로 똘똘 뭉쳤다.

미국에 건너가 그 특유의 근면함과 승부근성으로 많은 성공을 거두지만

죽기 아니면 까무러치기!

마지막에 가서 번번이 부딪히는 것은 바로 유대인이라는 장벽이지.

STOP

로마에 의해 고향에서 쫓겨나 여러 곳으로 흩어지게 된 것을 '디아스포라' 라고 해.

팔레스티나

디아스포라(Diaspora) =그리스어로 분산, 이주

이때부터 유대인들은 온갖 설움을 받아야 했고

꺼져라!

다른 민족의 땅에 얹혀 사는 기생 민족으로 미움과 탄압의 대상이 되었지.

기생충 같은 것들!

물론 이들은 동서남북으로 어느 곳 이건 퍼져나갔지만

오라는 데 있겠느냐.

발 닿는 대로 떠도는 거지….

아라비아인들이 에스파냐를 정벌하며 유럽대륙에 진출하면서

아프리카

에스파냐

옛 로마제국의 영토를 따라 에스파냐, 포르투갈로 퍼져나간 무리와

지금의 도이칠란트 등 중앙유럽으로 흩어져나간 두 무리로 나뉘었는데

에스파냐, 포르투갈 쪽의 유대인들은 아라비아계 유대인으로 '세파라딤 (Sefaradim)' 이라 하고

세파라딤

아라비아계 유대인

도이칠란트 쪽 유럽인계 유대인을 '아슈케나짐(Ashkenazim)' 이라고 하지.

아슈케나짐

도이치, 유럽계 유대인

세파라딤과 아슈케나짐의 비율이 중세기 때만 해도 반반이었지만

세파라딤 ✡ 아슈케나짐

지금도 유대교에는 두 명의 종교 지도자 랍비(Rabbi/세파라딤, 아슈케나짐)가 있음.

세파라딤은 1492년 에스파냐가 유대인 완전 추방령을 내리면서 크게 줄었고

아라비아인, 이슬람을 축출했으니

종교가 다른 유대인도 모두 몰아내라!

2차 대전이 일어나기 전까지 유대인 총인구 1,650만 명 중 불과 150만 명에 지나지 않았어.

미국 유대인의 거의 대다수가 유럽계 아슈케나짐이지.

2차 대전 중 나치 도이칠란트는 무려 600만 명에 달하는 유대인을 학살

Holocaust
홀로코스트
유대인 대학살

* 강제수용소의 유대인 시신들

세계 유대인의 반이나 죽이는 만행을 저질렀지.

그러면 기독교도들은 왜 그렇게까지 유대인을 미워했을까?

그 첫째 이유는 그들의 종교, 기독교의 중심인물인 예수를 유대인이 죽였다는 것인데

왕중 왕이라고 품잡고 다녔대요!

그것은 말이 안 되는 것이, 예수가 바로 유대인이며

본적 : 나사렛
출생지 : 베들레헴
인종 : 유대인
생년월일 : 서기 0년
12월 25일

그를 따른 최초의 기독교 교도들이 유대인이었거든.

유대인을 미워 하기 위한 핑계

그 두 번째 이유이자 유대인을 미워한 가장 큰 이유는

가톨릭을 믿으라!

시루!

끝내 그들의 종교를 버리지 않고 기독교로 개종할 것을 거부하였고

예수는 메시아가 아니다!

삼위일체 교리 인정할 수 없다!

그들이 신의 선택을 받았다는 것과 메시아의 강림을 굳게 믿었던 까닭이야.

남의 나라에 얹혀 사는 주제에….

자연 유대인들은 '빌붙어' 사는 민족으로 토지 소유가 금지됐으며

농사짓지 마라!

오래 살지 말고 떠나라는 얘기….

조합에 가입하는 것이 금지되어 상업과 공업에 종사할 수 없었고

장사도 하지 마라. 공장도 가지면 안 돼!

뭘 먹고 살라는 거야?!

게토(Ghetto)라고 하는 일정한 지역에 모여 살아야 했지.

유대인 집단 거주지역

Ghetto
Jews only

심지어는 유대인임을 표시하는 휘장까지 의무적으로 달아야 하는 등

우리가 영화에서 봤던 나치의 행동은 예부터 있어왔던 탄압이었어.

자연 토지 소유가 금지되어 농사를 짓는 게 금지되고

농업사회에서 농사를 금지하는 것은

근본적으로 존재, 그 자체를 부정하는 것이다!

토지소유금지 농사금지

장사도 공장도 할 수 없는 유대인들이 가질 수 있었던 직업이 무엇이었겠어?

농업 상업 공업

결국은 돈장사, 즉 금융업이나 고리대금업밖에 없었지.

고급리 서비스
담보필수
샤원료
융자서비스

돈 꿔줍니다

왜냐하면 기독교인들은 같은 교도에게 이자 받고 돈을 빌려주는 것을 죄악으로 생각했고

꾼 돈일세. 이자는….

무… 무슨 소리야? 같은 성도끼리!!

가장 더러운 직업으로 생각하여 손대지 않는 업종이었어.

뭐? 돈놀이해?

네가 어쩌다가 그렇게 타락했냐? 주님의 종이 어찌 그런…!

자연히 고리대금업자는 당연히 유대인이었고

돈 좀 꾸어주게. 너무 급하네.

유대인에게 가보게나!

이는 또다시 유대인에 대한 혐오감을 더욱 높였을뿐더러

그 더러운 유대인에게 또 가야 하나?

싫지만 어쩌겠어.

돈으로 돈을 번 유대인들이 왕이나 군주에게 돈을 꾸어주고 각종 이권을 얻어내자

돈 대신 이권으로 갚으마!

귀족과 지배계급의 유대인에 대한 경계심과 혐오는 그 절정에 이르러

유대인을 그냥 두면 안 되겠다.

우리 떡까지 다 차지하네.

19세기 말 반유대주의가 거세졌고 결국은 히틀러의 유대인 학살로 이어졌던 거라고.

Anti-Semitism

이처럼 유대민족의 역사는 피눈물로 얼룩진 것이었고

이 원한을 어이 하리요!

불에 달군 쇠는 두들겨 때릴수록 더욱 강해지듯

땅 땅 땅

시련과 고통이 크면 클수록 그들은 더욱 단결하고 속으로 강해져갔어.

우리는 선택 받은 민족이다!

메시아는 반드시 온다!

우리 민족도 수천 번에 걸친 외세의 침략으로 온갖 고초를 겪은 탓으로

오랑캐가 쳐들어온다!

강하고 지지 않는 무서운 끈기와 정신력을 지니고 있지만

내 생명, 내 가족은 내가 지킨다!

그래도 우리 땅을 빼앗긴 것은 35년에 지나지 않아.

그러나 2,000년 가까이 떠돌면서 온갖 핍박과 탄압을 받은 유대민족은

유대교라는 종교로 단단히 뭉쳐

우리는 모두 한 몸이니라!

스스로 돕고 이끄는 강철 같은 유대의식으로 단결하여

여기는 우리의 정신적인 고향

Synagogue 유대교회당

그 어떤 다른 민족도 유대인을 이겨내기 어려울 만큼 무서운 저력을 지녔지.

그러므로 유대교란 종교 이상의 유대 민족을 하나로 묶는 정신적인 고리이자

유대교

유대민족의 정체성, 그 자체이지!

핏줄이 중요한 게 아니다. 유대교를 믿으면 그가 곧 유대인이다!

그렇다면 미국과 유대인은 어떤 연관성을 가지고 있을까?

20세기 초, 도이치 경제학자이자 사회학자인 베르너 좀바르트*는 이렇게 말했어.

미국은 방방곡곡에 유대정신으로 가득 차 있다!

우리가 '미국의 혼(양키혼)'이라고 부르는 것은 순수한 유대정신에 지나지 않는다!

* Werner Sombart(1863~1941)

아메리카의 정신은 퓨리턴(청교)을 통하여 그리스도교의 가면을 쓴 유대교로 변질되어가는 과정이며

아메리카 정신

퓨리턴

퓨리턴(청교)은 인공적인 유대이다!

어찌 저런 과격한 표현까지….

'반유대교'적일 만큼 과격한 이 말이 의미하는 것은 무엇일까?

좀바르트는 나치의 나팔수이며 유대인 증오자이다!

아니다, 그의 말도 일리가 있다.

그것은 크롬웰에 의한 영국의 청교도 혁명 이후

'먼나라 이웃나라 영국편'에 자세히 나와요.

찰스1세

크롬웰

왕당파

의회파

영국은 서서히 유대화되어 갔고

성공회

청교도

유대세력

영국

그 청교의 무리가 아메리카에 건너가 미국을 건설하였다는 뜻이야.

청교도

유대인

신대륙

이 이야기는 크롬웰 이후의 영국이 점차 유대인의 영향을 크게 받기 시작하여

이게 필요하시지?

$

드디어는 대영제국의 정책, 나아가서는 세계정책에 유대인들의 입김이 크게 작용하게 되었다는 의미이고

… 해야 합니다.

… 해라!

그 이유는 청교도와 유대인 사이에 커다란 공통점이 있었다는 것으로 압축돼.

돈! 부(富)!

227

세계의 종교들은 부(富)를 부정하고 탐욕을 억제하라 가르친다.

탐욕에 의한 혼란과 약탈을 방지하고 인간사회의 질서를 유지하기 위함이지.

구약성서도 물론 부(富)를 부정한다.

부자가 천국에 가는 것은 낙타가 바늘구멍에 들어가는 것보다 어렵다!

그래서 가톨릭교는 돈과 부귀를 탐하지 말라고 가르치지.

탐욕을 버려야 합니다! 탐욕은 죄악의 씨앗이거늘….

불교는 모든 물욕을 버리고 마음을 비우도록 가르치고

모든 욕심은 허망한 것이다.

소유란 곧 번뇌이니….

나무관세음 보살…

힌두교는 아예 아무것도 소유해선 안 된다고 가르쳐.

이승의 세속적인 욕망을 버려라. 순수한 몸과 마음으로 신을 섬기라!

이슬람교도 물욕을 버릴 것을 요구하지.

가… 갖게나.

이처럼 종교가 한결같이 물욕을 버리라고 가르치고 돈 버는 것을 깨끗치 못한 것으로 보는데

욕심을 버려라!

돈 버는 것에만 전념하지 마라.

돈은 깨끗치 못한 것이다.

딱 두 개의 종교가 부(富)를 인정하고 부자가 돼도 좋다는 교리를 강조하지.

부자가 되어도 좋다!

이 두 종교가 바로 유대교와 청교이다.

PURITAN $

✡ $

칼뱅은 '깨끗한 부자'를 강조했고

열심히 노력하여 얻은 깨끗한 재화(財貨)는

곧 신의 축복이니라!

유대교도 부자가 될 것을 강조하는 공통점을 지니고 있는 것이다!

세상에 가난보다 나쁜 것은 없다.

가난에 찌든 사람은 세상의 모든 고민을 지고 산다.

탈무드 (유교경전)

유대인의 경전 탈무드는 돈의 중요성을 가르쳐준다.

'세상의 모든 고통과 아픔을 가난에 비한다면 가난이 훨씬 고통스럽다.' *

꼬르르록

'사람을 해치는 것이 세 가지 있다. 근심, 말다툼, 그리고 빈 지갑이다.' *

휴

'몸의 모든 부분은 마음에 의존하고, 마음은 돈지갑에 의존한다. 돈은 사람을 축복해주는 것이다. 부는 요새이고 가난은 폐허이다.' *

H·A·P·P·Y··

* 탈무드에서 인용

청교도의 뿌리가 되는 캘비니즘은 가톨릭과 루터의 종교개혁에 대한 반발이다.

둘 다 시원찮아!

가톨릭 루터교 칼뱅교

가톨릭의 부패를 비난하며 일어났던

가톨릭은 썩었다!

루터교 또한 가톨릭과 마찬가지로 돈과 부에 대한 욕망을 부정한다.

부자가 천당 가기는 마찬가지로 어렵다.

그러나 상·공업인들처럼 초기 신흥 부르주아계급을 대변하는 캘비니즘은

돈을 벌려고 장사 하는데 욕심을 버리라니!

우리에게 맞는 종교가 필요해!

스스로 떳떳한 노력에 의한 부의 추구는 깨끗한 부, 즉 청부(淸富)로 합리화하고 정당화해줌으로써

청부!

'깨끗한 부'가 가능하기는 한 건가?

청교도 혁명 후 영국의 산업혁명을 이룩하는 정신적인 기초가 되지.

마음껏 돈 벌어도 된단다!

마구마구 만들어 마구마구 돈벌자!

앗싸

영국

산업혁명과 함께 영국에 최초로 자본 주의가 자리잡게 되는 이론적 근거로

Industry Revolution 산업혁명

Capitalism 자본주의

유대인이었던 애덤 스미스의 《국부론》이 발표되었고

An Inquiry into the Nature and Causes of the Wealth of Nations
국부론
A. Smith

또한 《국부론》이 발표된 1776년은 미국이 독립을 선언한 해이기도 해.

* 독립선언서를 작성한 5인

'깨끗한 부(富)'의 축적을 신의 축복으로 합리화하여 인정하는 청교 교리와

부를 미덕으로 여기는 유대인의 논리는 완전히 맞아떨어져

청교도가 득세하는 곳에서는 거리낌없는 탐욕의 잔치가 벌어지게 되었던 거야.

그 잔치의 보이지 않는 주인공은 단연 유대인들이었어. 왜냐고?

돈을 '상품'으로 본 최초의 민족이 바로 유대인들이었고

돈
=물건과 바꾸기 위한 것

유대인 돈 = 상품
돈 자체를 사고팔 수 있다

돈으로 돈을 버는 금융업을 가장 잘 꿰뚫어보고 이를 장악한 존재가 유대인들이었거든.

원금 + 이자

모진 핍박과 멸시 속에 다른 직업을 가질 수 없었던 유대인들에게

농사지어도 안 된다!
장사해도 안 된다!
공장 가져도 안 된다!
토지 가져도 안 된다!

오로지 믿을 수 있는 건 돈뿐이었고 돈은 그들의 생명을 지켜주는 소중한 무기였던 거야.

자연 그들은 악착같이 돈을 끌어모아 엄청난 부를 축적하고

돈버는 데는 피도 눈물도 없다!

피도 눈물도 나를 지켜주지 못하니!

돈을 굴려 더욱 크게 만드는 방법을 연구하여

재테크의 원조다!

주식회사, 은행 및 증권거래소를 만드는 등

회사를 쪼개 소유한다.
돈 꿔주고 맡아주고
회사 쪼갠 주식을 사고판다!

Co., Ltd. Company limited by share
BANK
STOCK MARKET

그 어떤 다른 민족도 맞설 수 없을 만큼 탁월한 능력과 끈질긴 집념으로 금융시장을 손아귀에 넣었지.

유대인들이 금융업으로 가장 먼저 확실하게 자리잡은 곳은 네덜란드의 암스테르담이었어.

상업, 무역, 금융의 중심지.

Amsterdam

종교개혁 이후 개신교의 본고장으로 탄압받던 신교도들이 대거 몰려들었고

쫓겨난 개신교도들

네덜란드 (개신교)

프랑스 (가톨릭)

에스파냐(가톨릭) 포르투갈(가톨릭)

쫓겨난 개신교도들

유대인에게도 너그러운 편이어서 에스파냐에서 쫓겨온 세파라딤 유대인들도 이곳으로 많이 옮겨왔거든.

세파라딤….

암스테르담

유대인들은 영국의 청교도 혁명 때 왕당파와 싸우던 올리버 크롬웰에게

전쟁을 계속할 돈이 시급하다!

엄청난 전쟁자금을 지원함으로써 청교도혁명을 승리로 이끄는 데 결정적 역할을 했고

댕큐, 댕큐!

돈을 중시하기는 유대인이나 청교도나 같지 않수?

이를 계기로 유대인들이 대거 영국에 진출할 수 있었던 거야.

영국 진출 성공!

영국

1688년, 스튜어트 왕가의 제임스 2세가 쫓겨나고 네덜란드의 오렌지공이 윌리엄 3세로 영국 왕위에 오르는데*

윌리엄공 제임스 2세의 사위

메리 제임스 2세의 큰딸

* 명예혁명(1688년)

제임스 2세의 왕위회복을 노리는 것이 두려웠던 그는

강력한 군대가 있어야

쫓겨난 왕의 반격을 막을 수 있어.

막대한 돈이 필요했고, 이 문제를 유대인 상인들과 의논하였지.

폐하, 돈을 꿔드리는 건 당근이죠.

고… 고맙도다!

하지만 세상에 공짜가 없는 건 아시죠? 돈을 아주 싼 이자로 빌려드리는 대신

빌려드린 돈만큼 저희가 돈을 찍어낼 수 있는 권리를 주십시오!

쉽게 말해 화폐발행권을 달라… 이거지?

폐하께선 정말 머리가 빨리 돌아가십니다. 바로 그거예요!

좋아! 그까짓 게 뭐 어렵냐?

바보! 국가의 주권이란 바로 돈 찍어내는 권리란 것도 모르고….

OK!

허락을 얻은 유대인들은 1694년 잉글랜드은행을 설립했고

The Bank of England

워낙 권위가 있어 그냥 'The Bank' 로 통하죠.

이 잉글랜드은행은 1946년 국유화 될 때까지 사설은행으로 남았다.

The Bank of England

이를 계기로 유대인들은 영국 내의 금융권을 장악, 세상을 그들의 뜻대로 좌지우지하였어.

우리 손안에 있소이다!

세계금융

유대인들은 영국의 수상자리까지 차지 하기도 했는데

수상

디즈레일리나 글래드 스톤 등이 대표적인 인물이야.

Benjamin Disraeli

1804~1881

Disraeli
=De(of)
+ israel
(이스라엘)

영국뿐 아니라 전유럽에서 유대인들의 세력은 금력을 바탕으로 막강해지기 시작했지.

그 대표적인 경우로 지금까지도 전세계에서 강력한 힘을 발휘하고 있는 금융왕조

$

'로스차일드' 가문을 들 수가 있어.

Rothschild

로스차일드

R

로스차일드가문은 프랑크푸르트의 유대인 국제금융업자 가문이야.

세계적인 부자의 상징

영업수단의 극치

경제권력의 대명사

로스차일드

도이칠란트 출신이며 이름 자체가 도이치식 유대이름이니 원래 발음은 '로트실트'

Roth+schild
로트 (붉은) 실트 (방패)

R

로스차일드란 영국식으로 읽은 것으로

Rothschild
로스차일드

Schule
슐레(학교 : 도이치어)
↓
School
스쿨(영어)

전유럽을 돈으로 휘어잡은 거부 유대인 가문이지.

세계 최고급 프랑스와인의 상표가 로스차일드입니다!

Roth-Schild

한 병에 수천만 원 짜리도 있음.

이 가문을 크게 일으킨 마이어 암셀 로스차일드는 프랑크푸르트 게토 출신으로

Mayer Amschel Rothschild
1743~1812

고리대금업으로 출발하여 거금을 모아 로트실트, 즉 로스차일드 은행을 설립하고

Das Internationale Bankhaus Rothschild*
Frankfurt/M
1766

* 로트실트 국제은행

빈, 런던, 파리, 나폴리 등지에 지점을 개설하고 아들들을 지점장으로 보내

런던지점
프랑크푸르트 본점
파리지점
빈지점
나폴리지점
유럽 금융 5대 핵심지

전 유럽을 잇는 금융 네트워크를 구축 후 각국 정부, 권력층과 밀착하여 정치에 커다란 영향력을 행사하였어.

마이어 암셀 로스차일드
프랑크푸르트

암셀 마이어 로스차일드 1773~1855
프랑크푸르트(도이칠란트)

잘로몬 로스차일드 1774~1855
빈(오스트리아)

네이선 마이어 로스차일드 1777~1836
런던(영국)

카를 로스차일드 1788~1855
나폴리(이탈리아)

제임스 마이어 로스차일드 1792~1868
파리(프랑스)

이들은 각국에서 귀족 칭호까지 받으며 정치에 깊이 개입했고

로스차일드 경에 봉하노라!

권력을 등에 업고 오늘의 세계금융 자본의 기초를 확실히 다졌던 거야.

로스차일드 가문은 그 누구도 건드리지 못한다!

유럽에서 큰 전쟁이 있을 때마다 로스차일드의 돈은 중요한 역할을 하여

이 돈이 전쟁의 승패를 결정할 것이다.

그의 돈이 어디로 가느냐에 따라 유럽 역사가 뒤바뀌곤 했어.

* 1898년 반유대 프랑스 만화

나폴레옹 전쟁도 영국의 네이선 로스차일드가 승패를 결정한 셈이야.

네이선 로스차일드는 각국 정부에 1억 파운드씩을 빌려주어서

유대인에게 적대적이던 나폴레옹에 대항하여 싸우도록 했어.

나폴레옹을 꺾으면 늦게 갚아도 되오!

* 나폴레옹 전쟁 때 전쟁비용 대주는 로스차일드가 (1845년 만화)

233

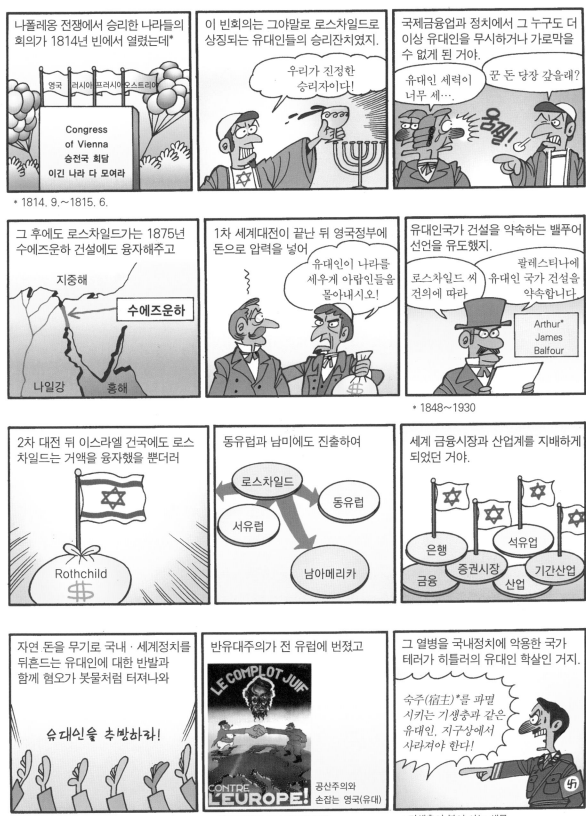

나폴레옹 전쟁에서 승리한 나라들의 회의가 1814년 빈에서 열렸는데*

영국 러시아 프러시아 오스트리아

Congress
of Vienna
승전국 회담
이긴 나라 다 모여라

* 1814. 9.~1815. 6.

이 빈회의는 그야말로 로스차일드로 상징되는 유대인들의 승리잔치였지.

우리가 진정한 승리자이다!

국제금융업과 정치에서 그 누구도 더 이상 유대인을 무시하거나 가로막을 수 없게 된 거야.

유대인 세력이 너무 세….

꾼 돈 당장 갚을래?

움찔!

그 후에도 로스차일드가는 1875년 수에즈운하 건설에도 융자해주고

지중해

수에즈운하

나일강   홍해

1차 세계대전이 끝난 뒤 영국정부에 돈으로 압력을 넣어

유대인이 나라를 세우게 아랍인들을 몰아내시오!

$

유대인국가 건설을 약속하는 밸푸어 선언을 유도했지.

로스차일드 씨 건의에 따라

팔레스타인에 유대인 국가 건설을 약속합니다.

Arthur*
James
Balfour

* 1848~1930

2차 대전 뒤 이스라엘 건국에도 로스차일드는 거액을 융자했을 뿐더러

Rothchild
$

동유럽과 남미에도 진출하여

로스차일드

서유럽

동유럽

남아메리카

세계 금융시장과 산업계를 지배하게 되었던 거야.

은행   석유업
금융   증권시장   기간산업
           산업

자연 돈을 무기로 국내·세계정치를 뒤흔드는 유대인에 대한 반발과 함께 혐오가 봇물처럼 터져나와

유대인을 추방하라!

반유대주의가 전 유럽에 번졌고

LE COMPLOT JUIF

CONTRE
L'EUROPE!

공산주의와 손잡는 영국(유대)

* 반유대주의 포스터(벨기에)

그 열병을 국내정치에 악용한 국가 테러가 히틀러의 유대인 학살인 거지.

숙주(宿主)*를 파멸 시키는 기생충과 같은 유대인, 지구상에서 사라져야 한다!

* 기생충이 붙어 사는 생물

235

독립전쟁이 끝난 뒤 미국의 산업과 경제가 눈부시게 발전해가자

미국산업

로스차일드는 빠르게 미국시장 진출을 계획하였지.

미국시장을 장악하는 건 어려운 일이 아닌데 문제는…

우리 가문이 직접 나서면 미국인의 저항이 엄청나게 거세겠지…

누군가 우리의 충복을 대리인으로 내세워야 해!

로스차일드가 지목한 인물이 스펜서 모건*이란 상인으로

바로 이 친구다!

당첨!

미국 매사추세츠 출생으로 런던에서 모건상회를 설립 운영하던 사람이지.

Junius Spener
Morgan Co. London

모건이 유대인이란 설도 있지만 이는 분명하지 않고, 한 가지 확실한 건 그가 로스차일드가의 충복이라는 사실이었어.

아, 예…

* Spencer Morgan

로스차일드는 그의 아들 존 피어폰트 모건을 미국 총대리인으로 파견,

John Pierpont Morgan
1837~1913

뉴욕에 J. P. 모건은행을 설립하게 했는데

J. P. Morgan
Bank
New York

J. P. 모건은행은 로스차일드가의 막대한 자금력에 힘입어 미국 금융업계의 최강자로 단숨에 떠오를 수 있었지.

J. P.
Morgan

미국의 금융업계를 장악한 J. P. 모건 등의 유대인들은

세계금융 심장은 뉴욕

따라서 뉴욕은 미국 유대인의 최대 집결지

그래서 9.11 테러도 뉴욕을 노린 것!

뉴욕

드디어는 미국의 통화량을 조절하는 기능을 가지는 연방준비제도를 통과시키는 데 성공하고

연방준비제도
Federal Reserve System

FRS

이를 유대인들이 확보함으로써 영국에 이어 다시 미국의 통화 발행권을 장악했던 것이다.

앨런 그린스펀*
연방준비제도 회장

* Allen Greenspan(1926~)

로스차일드가 배경인 J. P. 모건 은행은 뒤퐁사, U.S. 강철 등

뒤퐁 Dupont 사
U.S. 강철
J. P. 모건은행

J. P. 모건 그룹

전기, 전신, 전화, 화학산업을 장악하여

모건

강철
전기
전신
전화
화학

한때 미국 전재산의 4분의 1에 육박하는 거대한 부의 제국을 건설했지.

독점을 통한 반사회적인 기업이다.

자선사업에 기부도 많이 했다 뭐….

에드워드 사이드란 이집트계 미국 철학자는 '오리엔탈리즘'의 권위자야.

오리엔탈리즘이란 문화적인 인종차별이다!

Edward W. Said*

서양, 특히 유럽을 우수하다고 여기며 그 밖의 동방(오리엔트)을 비롯한 나머지 세계는 미개하며 열등하므로

유색인
백인

유럽과 미국의 백인들이 세계를 지배하는 것이 정당하다는 주장이 바로 오리엔탈리즘의 핵심이라고.

YES, SIR!

* 1935~2003

가장 대표적인 오리엔탈리즘이란?

동양은 신비하다!

그 얘기는 유럽은 '정상'이라는 뜻!

동양을 신비하게 보는 것은 자신(유럽)을 기준으로 세계를 평가하는 것으로

백인기준

모든 가치와 판단의 잣대는 백인 중심이어야 한다는 백인우월주의, 나아가 인종차별주의라는 거지.

열등

세계
중심
우월
변방

이 점은 프랑스의 철학자 사르트르가 지적한 바 있어.

유럽인은 동양을 괴물과 종으로 만들면서 인간이 되었다!

유럽인들뿐 아니라 미국인들도 철저하게 오리엔탈리즘의 포로이며

백인이 세계의 중심이고

미국은 백인이 건설한 국가이다!

사르트르 식으로 말하면 이렇겠지.

미국인은 인디언을 괴물과 종으로 만들면서 남의 땅의 주인이 되었다!

* 장 폴 사르트르(Jean-Paul Sartre)

237

이런 흐름에 맨 앞장을 선 것이
바로 할리우드의 영화였어.

HOLLYWOOD

영국이 식민지 인도를 열등화하여
백인을 우월한 존재로 만든 것처럼

인도에는
희망이 없어.

노벨 문학상을 받은 키플링의 소년
정글북도

모글리는
백인 아이라
똑똑한데

원주민은 동물과
다름없는 수준!

아프리카 타잔의 이야기도

우아어
~

백인은 위대하고 유색인은
열등하다는 백인들의 조작이며

타잔은 백인이라
혼자서 글을 익혀
책을 읽고

백인 소녀 제인과
결합한다.

이를 선전하고 세뇌시키는 일에 미국
영화들이 결정적인 역할을 하였지.

역시 백인은
우수하고

흑인은
열등해….

이 영화들은 20세기 초 제국주의
시대에도

미군지휘관 역인 찰턴 헤스턴이
베이징에 진입하는 영화장면을 보고

피해자인 동양의 관객들조차 환호하게
만든 마술이었어.

짝짝
짝
짝짝
짝
와
와
와

할리우드는 인디언을 야만적이고
호전적인 동물로 묘사하였고

백인은 정의와 용기의 화신으로 그려

빠밤 빠빠라
빠밤 빰

피지배 민족까지 백인 편에 박수를
보내게 한 무서운 힘을 발휘했지.

절찬상영중
황야의
사나이들

포악한 인디언과 맞서
싸우는 용감한 사나이들의
우정과 사랑

영화라는 무서운 문화산업을 처음 꿰뚫어본 게 바로 유대인들이었어.

스크린! 이거야 말로 돈이 되는 사업이다.

영화산업을 시작한 것 또한 유대인들 이었으며

할리우드 영화들은 유대 금융업자의 돈으로

제작비

BANK

유대 정치가를 배경에 업고

유대인을 깎아 내리는 영화를 만든답니다.

못 만들게 해.

유대 예술가가 제작하는 유대인 산업 그 자체이지.

액션!

초기 할리우드 8대 영화사의 우두 머리가 모두 유대인인 것 하나로도 알 수 있겠지?

할리우드의 스타

| MGM | PARA-MOUNT | WB | Unive-rsal 등등 |

영화산업 초기 최대 배우였던 찰리 채플린을 비롯하여

페어뱅크스, 버스터 키튼, 마르크스 4형제 등이 모두 유대인이었다고.

1940년경 전세계 영화관객이 연간 약 100억 명에 달했는데

* 영화 '바람과 함께 사라지다' (1939년)

미국의 관객만 40억 명이었고

4,000,000,000명

상영중

전세계 영화관 67,000개 중 17,000 개가 미국에 있었으니 할리우드의 위력이 어느 정도로 폭발적이었겠어?

영화야말로 대중을 세뇌하는 최고의 방법!

영화시장을 독점 지배하던 영화사들이 놀랍게도 1930년대까지 다 유대인 소유였다니까.

돈 벌고 반유대주의 억누르고, 일석이조 아니냐?

독점금지법이 통과된 뒤에도 록펠러의 석유 독점은 계속되어

독점금지

록펠러

스텐더오일

록펠러의 스탠더드 석유는 뉴저지 스탠더드(후에 엑슨이 됨) 등 몇 개로 분할되었지만

됐지?

현재 세계 7대 석유 메이저 회사 7개 가운데 5개를 장악하고 있으며

세계 7대 석유회사

록 펠 러
계 열

나머지 2개는 로스차일드가가 직접 지배하고 있지.

BP
브리티시 페트럴리엄

Royal Dutch Shell
로열 더치 셸

세계에서 가장 중요한 석유를 록펠러와 유대인이 완전히 장악한 셈이야.

이라크 등 중동석유까지 장악하려는 거냐?!

록펠러가 만약 유대인이라면, 전세계 석유는 유대인의 손아귀에 쥐어져 있는 거라고.

Rockefeller

이름으로 봐선 유대인인 것 같은데…

= Rocke(바위) +Feller(절벽)

록펠러가문은 뉴욕 주지사를 비롯해 포드정권의 부통령, 수많은 주지사를 배출하였고

넬슨 A. 록펠러*

1908~1979

제럴드 포드 정권 부통령

강철왕 카네기, 자동차왕 포드와 더불어 미국 자본주의의 상징이 되었지.

강철재벌 자동차재벌 석유재벌

카네기 포드 록펠러

1890년대 세운 록펠러재단은 의학, 농업 등 자연과학 분야에 거금을 지원하였고

Rockefeller Brothers Fund
Philanthropy for an Interdependent World

Sustainable Development

Democratic Practice Peace & Security

* Nelson Aldrich Rockefeller(1908~1979)

녹색혁명이란 평가를 받은 공익사업을 벌여 가난한 나라의 식량공급을 위한 종자 개발을 추진했어.

GREEN Revolution
녹색혁명(綠色革命)

몇십 억 달러나 되는 거금을 선뜻 내놓는 록펠러에게 감사하는 이도 많지만

역시 통이 큰 사업가다!

짝 짝 짝 짝

미국에서 가장 미움받았던 사업가답게 지금도 악평에서 벗어나지 못하고 있지

돈이 하도 많아 계속 쌓이는 이자를 감당 못해

이자 처치에 세금 감면 혜택 보려 한 일인걸!!

금융업, 영화산업만 유대인이 장악한 게 아니야.

중권

현대세계에서 가장 중요한 언론도 유대인이 완전히 장악하고 있다고.

입법부

사법부

행정부

언론

언론은 제4부라고 할 만큼 막강한 힘을 발휘하죠.

한마디로 미국의 언론은 유대인의 것이며 유대인의 소리, 그 자체라고 해도 지나친 말이 아니지.

신문   잡지   TV   라디오

미국의 가장 영향력 있는 3대 신문이

Los Angeles Times
LA타임스

The Washington Post
워싱턴 포스트

The New York Times
뉴욕타임스

유대인 소유의 것이거나 유대인이 운영에 관여하는 회사들이야.

이러니 미국 언론들이

이슬람이나 아랍권에 대해 중립적인 보도를 하겠나?

세계적인 통신사인 AP, UPI도 역시 유대인 소유이고

통신사란 뉴스를 취재하여

전국, 전세계로 보급하는 보도망.

AP   UPI

영국 최대의 통신사이자 세계 3대 통신사인 로이터 통신도 유대인이 세운 거지.

P. J. Reuter

1851년

Reuters News Agency

미국 3대 TV라 부르는 NBC, ABC, CBS-TV가 유대인의 세력 아래 있고

NBC   ABC   CBS TV

세계적 주간지 〈뉴스위크〉를 비롯해

THE FUTURE OF LEARNING
Newsweek
SPECIAL OPS
Can Our Commandos Finish The Job?

미국의 유수한 신문, 방송, 잡지 등의 매스컴을 유대인이 소유하고 있는 현실이야.

매스컴

퓰리처상을 제정한 신문왕 퓰리처도 유럽에서 미국으로 이주한 유대인이고

Joseph Pulitzer

1847~1911
헝가리 출생
미국 신문 발행인

1917년
퓰리처상 제정

〈뉴욕타임스〉의 최고논설위원인 월터 리프만 또한 유대인이라고.

역시 리프만의 논설은 훌륭해.

NYT

오늘의 세계경제는 미국 금융법이 마음대로 휘두르는데

외환 부족!

이러한 미국의 금융계는 유대인이 완전히 장악하고

자, 이번엔 무슨 요리를 만들어 볼까?

미국금융계

또한 현대의 언론도 세계의 흐름을 주도하는데

오른쪽으로!

여론

정치권

신문, 잡지, 방송, TV, 통신 등 모든 것을 유대인이 장악하고 있어.

오른쪽으로

신문

방송

통신

잡지

대중

이미지의 시대, 대중의 시대라는 오늘날 스타는 대중들의 우상이고 할리우드는 세계를 주름잡는 스타와 오락의 산실인데

할리우드 또한 유대인이 완전히 장악하고 있어.

HOLLY WOOD

자, 이러니 미국이 어찌 유대인으로 부터 자유로울 수가 있겠어?

유대인들은 돈과 언론, 그리고 할리우드의 이미지로 미국 정계를 맘껏 주무르며

언론

미국의 국내정치는 물론 국제정치에 막대한 영향력을 발휘하고 있지.

춥다

콜록!

헤취

USA

외국

워싱턴을 움직이는 핵심 인물들은 WASP들이지만

미국은 WASP가 주도한다!

정작 이들을 움직이는 보이지 않는 세력은 바로 유대인들이니

그렇게 말하는 머리를 돌리는 건 누구냐?

모…목…

유대인들이야말로 사실상 미국과 세계를 움직이는 실세가 아니고 뭐겠어?

WASP

머리를 돌리는 건 목이다!

USA

* 워싱턴과 미국경제를 지원해준 두 유대인 단체 대표(시카고)

미국의 문제는 미국의 정체성과 가치관이 WASP적인 것이라고 믿고

앵글로-색슨계 백인이 건설한

청교도 가치관이 지배하는 나라!

그 수많고 다양한 비 WASP 국민들을 그 가치관에 가두려고 하는데 있으며

여기서 벗어나는 것을 포용하지 못하고 배척하기에 갈등이 빚어지지.

비미국적!

가장 대표적인 것이 미국이란 사회가 곧 세계이며, 우주라고 믿는 미국 중심적인 사고로

Unilateral 일반적인

세계

전국민의 겨우 18%만이 여권을 지니고 있는 데서 알 수 있듯

미국민의 90% 이상이 외국에 못 가봤다며?

못 가본 게 아니라 안 가본 거지. 안에 다 있는데 왜 나가?

가장 세계적이고 열려 있을 것 같은 미국이 가장 글로벌화되지 않았지.

글로벌화? 그거 왜 해?

미국 자체가 곧 열린 세계인걸!

그러나 우리가 결코 잊어서는 안 될 것이 있어. 그것은 미국이 우리의 일부라는 거야. 미국에는 미국인이 있지만, 그 미국인들은 전세계에서 건너온 모든 인종과 민족의 일부분인 거지. 200만 명이 넘는 한국동포가 살고 있는 미국은 그래서 결코 미워할 수도, 미워할 이유도 없는 우리의 일부분이야. 이러한 사실은 절대 변하지 않을 거야!

미국 1 미국인 편

끝